1248

Geschichten von kleinen und großen, mutigen und gewitzten Helden. Geliebt und unvergessen: Lieblingsbücher bei Gulliver

Mr. Poppers Pinguine von Richard & Florence Atwater
Geschichten von Paddington von Michael Bond

Michael Bond

Geschichten von Paddington

Aus dem Englischen von
Brigitte von Mechow, Peter Kent und Käthe Recheis

Mit Bildern von Peggy Fortnum

EIN **GULLIVER** VON **BELTZ & GELBERG**

Editorische Notiz

Der vorliegende Band umfasst die Geschichten aus den ersten beiden Paddington-Büchern, *A Bear Called Paddington* und *More About Paddington*. Sie erschienen erstmals in deutscher Sprache 1968 resp. 1969 beim Benziger Verlag Zürich, Köln. Der erste Band, *Paddington – Unser kleiner Bär*, wurde von Brigitte von Mechow und Peter Kent ins Deutsche übertragen, der zweite Band, *Paddington – Neue Abenteuer des kleinen Bären*, wurde von Käthe Recheis übersetzt. Für den vorliegenden Band wurden die o.g. Übersetzungen neu durchgesehen.

www.gulliver-welten.de
Gulliver 1248

Die englischen Originalausgaben erschienen u.d.T.
A Bear Called Paddington und *More About Paddington* bei
Collins, an Imprint of HarperCollins Publ. Ltd., London

Neue Rechtschreibung
Markenkonzept: Groothuis, Lohfert, Consorten, Hamburg
Einbandbild: Peggy Fortnum/Mark Burgess
Einbandtypographie: Max Bartholl, b3K Hamburg-Frankfurt
Gesamtherstellung: Beltz Druckpartner, Hemsbach
Satz und Gestaltung: Lina-Marie Oberdorfer
Printed in Germany
ISBN 978-3-407-74248-3
1 2 3 4 5 15 14 13 12 11

Inhalt

Bitte kümmert euch um den kleinen Bären 7

Paddington in der Badewanne 22

Abenteuer auf der Rolltreppe 39

Paddington kauft ein 56

Paddington malt 73

Im Theater 89

Abenteuer am Meer 105

Ein Zaubertrick 120

Das Familienfoto 136

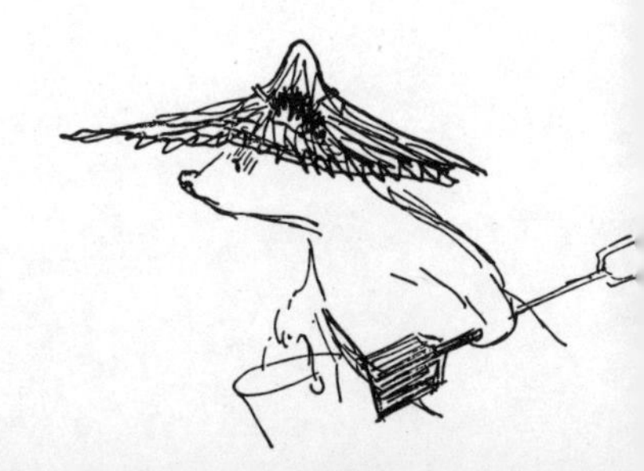

Ein kleiner Bär »ohne Beschäftigung« 155

Mr Browns Riesenkürbis 174

Von Raketen und einer Superstrohpuppe 195

Winter ist es, wenn es schneit 216

Ochsenauge und Wäscheleine 237

Die Weihnachtsfeier 258

Bitte kümmert euch um den kleinen Bären

Paddington heißt ein großer Bahnhof in London. Eines Tages haben dort Mr und Mrs Brown einen kleinen Bären gefunden. Darum hat der kleine Bär einen so merkwürdigen Namen. Er heißt wie der Bahnhof, in dem er gefunden worden ist. Und das kam so:

Eigentlich wollten Mr und Mrs Brown Judy, ihre kleine Tochter, abholen. Sie kam aus dem Internat nach Hause, weil sie Ferien hatte. Es war ein heißer Sommertag. Auf dem Bahnhof wimmelte es von Leuten, die ans Meer fuhren. Lokomotiven pfiffen, Lautsprecher plärrten und Gepäckträger rannten hin und her, einer stieß den andern. Mr Brown musste fast schreien, damit seine Frau ihn verstehen konnte.

»Ein Bär? Hier im Bahnhof Paddington?« Mrs Brown sah ihren Mann verwundert an. »Erzähl doch keinen Unsinn, Henry! Wo soll da ein Bär herkommen?«

Mr Brown rückte die Brille zurecht.

»Aber da ist ein Bär! Ich habe ihn ganz deutlich gesehen. Dort hinter den Postsäcken sitzt er. Er trägt einen komischen Hut.«

Mr Brown packte seine Frau am Arm und drängte sich mit ihr durch die Menschenmenge.

»Hab ich's dir nicht gesagt!«, rief er triumphierend und deutete in eine dunkle Ecke.

Wirklich, dort im Dunkeln saß etwas Pelziges auf einem Koffer. Ein kleiner Zettel baumelte ihm am Hals. Der Koffer war alt und zerbeult und auf der einen Seite stand in großen Buchstaben: GUTE REISE!

»Du meine Güte, Henry!«, rief Mrs Brown. »Das ist wirklich ein Bär!« Sie schaute noch einmal ganz genau hin.

Nein, sie hatten sich nicht getäuscht, da saß ein richtiger Bär. Sein Fell war braun und ziemlich schmutzig. Auf dem Kopf trug er einen alten Hut mit breitem Rand, genauso wie Mr Brown es beschrieben hatte.

Unter dem großen Hut guckten zwei braune Kugelaugen hervor.

Der kleine Bär stand plötzlich auf und lüftete den Hut.

»Guten Tag«, sagte er leise, aber doch sehr deutlich.

»Guten Tag …«, sagte Mr Brown verblüfft.

Der kleine Bär sah Mr und Mrs Brown an und fragte: »Kann ich Ihnen helfen?«

Da wusste Mr Brown nicht mehr, was er sagen sollte. »Ja … nein«, stotterte er. »Wirklich, eigentlich wollte ich dich fragen, ob *wir* dir helfen können.«

Mrs Brown beugte sich zu ihm: »Bist du aber ein kleiner Bär!«

Der Bär deutete auf seine Brust: »Dafür bin ich ein ganz besonderer Bär. Selbst in meiner Heimat gibt es nur ganz wenige, die so sind wie ich.«

»Woher kommst du denn?«, fragte Mrs Brown.

Der kleine Bär schaute sich erst vorsichtig um und sagte dann: »Ich komme aus Peru, aber niemand weiß, dass ich hier bin. Ich bin nämlich ein blinder Passagier.«

»Ein blinder Passagier!« Mr Brown dämpfte seine Stimme. Er hatte das Gefühl, hinter ihm stehe ein Polizist mit einem dicken Notizbuch und einem Bleistift in der Hand, um alles aufzuschreiben.

»Ja«, sagte der kleine Bär, »ich habe mich auf einem

großen Schiff versteckt. Und jetzt bin ich hier.« Er sah ganz traurig aus. »Ich habe immer bei meiner Tante Lucy gewohnt. Aber sie musste in ein Heim für alte Bären.«

»Herrje!«, sagte Mrs Brown. »Aber du bist doch nicht mutterseelenallein von Peru nach London gefahren?«

Paddington schnüffelte. »Tante Lucy wünschte sich immer, dass ich auswandern würde, wenn ich alt genug wäre. Deshalb brachte sie mir auch Englisch bei.«

»Und was hast du auf dem Schiff gegessen?«, fragte Mr Brown.

Da bückte sich der kleine Bär. Mit einem Schlüssel, den er an einer Schnur um den Hals trug, öffnete er seinen Koffer. Ein Marmeladenglas lag darin, es war beinahe leer. »Marmelade hab ich gegessen. Ich hab Marmelade fürs Leben gern. Und im Rettungsboot hab ich geschlafen.«

»Und wohin willst du jetzt gehen?«, fragte Mr Brown. »Du kannst doch nicht einfach hier im Bahnhof Paddington sitzen.«

Der kleine Bär beugte sich über den Koffer. Nun konnte Mrs Brown lesen, was auf dem Zettel stand:

BITTE KÜMMERT EUCH UM DEN KLEINEN BÄREN!

»Henry«, sagte Mrs Brown, »was sollen wir bloß tun? Wir können doch den kleinen Bären nicht einfach im Bahnhof Paddington sitzen lassen. Stell dir vor, was ihm hier zustoßen könnte. Wollen wir ihn nicht nach Hause nehmen, nur für ein paar Tage?«

»Einen Bären!« Mr Brown schüttelte den Kopf. »Nein, Mary, das geht wirklich nicht! Ein Bär bei uns zu Hause, mitten in London! Und was soll er essen und trinken, und wo soll ein Bär schlafen, spielen und in die Schule gehen …?«

»Ach, du mit deinen Umständen!«, sagte Mrs Brown und blickte freundlich auf den kleinen Bären. »Schau doch, wie lieb er ist, Henry. Er wäre ein guter Spielkamerad für Judy und Jonathan. Nur für kurze Zeit, Henry. Was werden die Kinder sagen, wenn sie erfahren, dass wir einen kleinen Bären mutterseelenallein im Bahnhof Paddington zurückgelassen haben?«

»Ja«, meinte Mr Brown schließlich. »Du hast recht, aber vielleicht ist es verboten, Bären nach Hause zu nehmen, wer weiß?« Dann wandte er sich an den kleinen Bären: »Würdest du gerne mit uns nach Hause kommen? Natürlich nur, wenn du nichts anderes vorhast?«

Da sprang der Bär vom Koffer auf und verlor vor Freude fast seinen Hut. »Oh, fein! Schrecklich gern!

Ich weiß ja nicht, wohin ich sonst gehen soll. Alle Leute haben es hier so eilig.«

»Gut«, sagte Mrs Brown rasch, ehe ihr Mann seine Meinung ändern konnte, »du kommst mit uns und kannst zum Frühstück Marmelade essen, so viel du willst, und …«, sie überlegte, was Bären sonst noch gerne essen, »… und sonntags Honig.«

Da erschrak der kleine Bär.

»Kostet das sehr viel?«, fragte er.

»Wenn wir dich mitnehmen, gehörst du einfach zur Familie, nicht wahr, Henry?«

»Zur Familie …?«, stotterte Mr Brown, aber dann sagte er zum kleinen Bären:

»Wenn du schon mit uns nach Hause kommst, dann musst du auch wissen, wie wir heißen. Ich bin Mr Brown und das ist meine Frau.«

Der kleine Bär lüftete wieder den Hut und murmelte: »Ich habe leider keinen richtigen Namen, nur einen peruanischen. Den kann niemand aussprechen.«

»Dann geben wir dir einen neuen Namen«, meinte Mrs Brown. »Es muss aber ein ganz besonders feiner Name sein.« Und während sie das sagte, pfiff eine große Lokomotive und stieß runde, weiße Dampfwolken in die Luft.

»Ich weiß was!«, rief Mrs Brown. »Wir haben dich

hier im Bahnhof Paddington gefunden, warum sollst du nicht Paddington heißen?«

Der kleine Bär schaute Mrs Brown mit großen Augen an: »Paddington, Paddington …«, murmelte er vor sich hin, »das ist aber ein sehr, sehr langer Name.«

»Gewiss, ein langer Name«, meinte Mr Brown, »aber dafür ist es ein ganz besonderer Name. Ja, Paddington gefällt mir auch.«

Mrs Brown sah plötzlich ganz aufgeregt um sich: »Jetzt hätten wir beinahe Judy vergessen! Ich muss mich beeilen. Und du bist sicher durstig, Paddington. Geh mit meinem Mann! Er bestellt dir in der Bahnhofsgaststätte eine große Tasse Tee.«

Paddington leckte sich die Lippen.

»Hab ich einen Durst!«, brummelte er. Und schon packte er seinen Koffer und zog seinen Hut tief in die Stirn.

»Also, Henry, pass gut auf den kleinen Bären auf!«, rief Mrs Brown. »Und nimm ihm bitte den Zettel ab. Sonst sieht er wie ein Paket aus.«

Die Gaststätte war voller Leute. Aber ganz hinten entdeckte Mr Brown noch einen freien Tisch. Wenn Paddington sich auf den Stuhl stellte, konnte er gerade noch seine Pfoten auf den Tisch legen. Während Mr

Brown den Tee holen ging, schaute sich Paddington im Saal um. Als er alle Leute essen sah, bekam er plötzlich Hunger. Sein Magen knurrte.

Auf dem Tisch lag noch ein halb angebissenes Stück Kuchen. Aber als Paddington gerade danach greifen wollte, kam eine Kellnerin und räumte den Tisch ab. Fort war der Kuchen! Doch da kam schon Mr Brown.

»So, Paddington«, sagte er und stellte zwei dampfende Teetassen auf den Tisch. Er hatte auch einen Teller mit Kuchen mitgebracht.

Paddingtons Augen glänzten, als er den Kuchen sah. »Vielen, vielen Dank«, sagte er und starrte bekümmert auf die Teetasse. Für einen kleinen Bären ist es nämlich sehr schwer, aus einer Tasse zu trinken. Mr Brown überlegte.

»Vielleicht ist es besser, wenn ich dir den Tee in die Untertasse gieße. Das ist zwar nicht fein, aber anders kannst du ja nicht trinken.«

Der kleine Bär nahm seinen Hut ab und legte ihn ordentlich auf den Tisch. Mr Brown goss vorsichtig den heißen Tee in die Untertasse. Paddington betrachtete sehnsüchtig die Kuchenstücke. Eines war mit einer rosaroten Creme gefüllt.

»Iss nur!«, sagte Mr Brown. »Hier gibt es eben nichts mit Marmelade.«

Aber das schien dem kleinen Bären nichts auszumachen.

»Bin ich froh, dass ich aus Peru weggegangen bin«, brummte er und zog zufrieden den Kuchenteller an sich. »Darf man beim Essen auf dem Tisch sitzen?«, fragte Paddington dann. Und bevor Mr Brown antworten konnte, saß der kleine Bär schon auf dem Tisch und legte seine Pfote auf ein Kuchenstück. Bald klebte der halbe Kuchen in Paddingtons Barthaaren.

Da stießen sich die Leute an den umliegenden Tischen an; sie lachten und zeigten mit Fingern auf den kleinen Bären.

Hätte ich nur keinen Kuchen mit rosaroter Creme ausgesucht, dachte Mr Brown, aber er verstand eben gar nichts von kleinen Bären. So rührte er in seiner Teetasse und schaute zum Fenster hinaus und tat so, als wäre es das Selbstverständlichste der Welt, dass kleine Bären im Bahnhof Paddington Tee tranken und Kuchen aßen.

»Henry!«

Das war die Stimme seiner Frau. »Henry, um Himmels willen, was machst du da mit Paddington! Er ist ja von unten bis oben mit Creme verschmiert.«

Mr Brown betrachtete den kleinen Bären. »Er war so hungrig«, murmelte er.

»Siehst du, Judy, was geschieht, wenn man deinen Vater nur fünf Minuten allein lässt!«, sagte Mrs Brown.

Aber Judy schaute ganz entzückt auf den kleinen, braunen Bären.

»Oh, Papa, darf er wirklich mit uns nach Hause kommen?« Sie klatschte in die Hände.

»Wenn er nicht davonläuft, darf er bei uns bleiben«, sagte Mrs Brown.

»Wir müssen jemanden finden, der gut auf ihn aufpasst. Papa kann das nicht. Schau dir bloß den kleinen Bären an!«

Paddington war ganz mit Kuchenessen beschäftigt und hatte Mrs Brown und Judy noch gar nicht bemerkt. Plötzlich sah er auf und sah Mrs Brown und ein Mädchen mit lachenden, blauen Augen und langen, blonden Haaren vor sich stehen. Er wollte aufspringen, rutschte aber auf der glatten Tischplatte aus. Zuerst glaubte er, dass sich der ganze Saal um ihn drehe, aber dann merkte er, dass er sich selbst wie ein Kreisel drehte. Er warf beide Pfoten in die Luft. Und ehe ihn jemand festhalten konnte, landete er mit seinem Hinterteil in Mr Browns Teetasse. Schneller, als er sich gesetzt hatte, stand er wieder auf, denn der Tee war heiß. Da musste Judy so lachen, dass ihr Tränen aus den Augen liefen.

»Oh, Mama, ist der aber komisch!«

Der kleine Bär fand das alles gar nicht so komisch. Einen Augenblick lang stand er noch mit dem einen Fuß in Mr Browns Teetasse und mit dem anderen auf dem Tisch. Sein Gesicht war mit der rosaroten Creme verschmiert und an seinem linken Ohr klebte eine große, schwarze Rosine.

»Wie kann man mit einem einzigen Stück Kuchen so viel Unfug anrichten?«, rief Mrs Brown und schüttelte den Kopf.

Mr Brown hustete verlegen. Eine Kellnerin blickte ihn streng an. Die Leute lachten.

»Ich glaube, es ist besser, wenn wir gehen«, murmelte er. »Ich rufe ein Taxi.« Er nahm Judys Mantel, packte ihren Koffer und fort war er. Der kleine Bär hopste vorsichtig vom Tisch auf den Stuhl und dann auf den Boden. Ein letztes Mal blickte er auf die Kuchenreste oben auf dem Tisch.

Judy nahm ihn bei der Pfote.

»Komm, jetzt fahren wir nach Hause! Dort kannst du dich in der Badewanne waschen. Und später erzählst du mir von Peru. Sicher hast du viele Abenteuer erlebt.«

»Ja«, brummte Paddington, »mir passiert immer etwas.«

Als sie die Gaststätte verließen, stand Mr Brown bereits draußen beim Taxi und wartete. Der Fahrer runzelte die Stirn, als er den kleinen Bären sah.

»Bären kosten zwei Schilling extra. Schmutzige Bären drei Schilling!«

»Er kann doch nichts dafür, dass er schmutzig ist!«, sagte Judy. »Er hatte gerade einen Unfall.«

Der Taxifahrer zwinkerte dem Mädchen zu: »Na gut, soll er hineinspringen. Aber pass auf, dass mir das Bärenvieh nichts schmutzig macht! Grad heute Morgen habe ich den Wagen geputzt.«

Die Browns setzten sich ins Taxi. Judy saß mit ihren Eltern hinten, Paddington durfte neben dem Fahrer auf dem Polstersitz stehen. Sonst hätte er nicht hinaussehen können.

Die Sonne schien hell. Als sie an einer Bushaltestelle vorbeifuhren, winkte Paddington den wartenden Leuten zu. Ein alter Herr lüftete den Hut, weil er kurzsichtig war. Alle Leute waren so nett und freundlich! Und was es alles zu sehen gab! Menschen, Autos, große, rote Busse. Alles war ganz anders als in Peru. Mit einem Auge starrte der kleine Bär auf die Straße, mit dem andern beobachtete er im Rückspiegel Mr und Mrs Brown und das Mädchen. Mr Brown war dick und trug eine Brille. Mrs Brown war auch nicht dünn.

Als der kleine Bär so still dasaß, nachdachte und sich freute, mit Mr und Mrs Brown und Judy nach Hause fahren zu dürfen, rief der Fahrer: »Was haben Sie gesagt? Wohin wollen Sie?«

Mr Brown beugte sich zum Fahrer: »Windsor-Park 32.«

»Versteh nichts!«, schrie der Fahrer.

Da tippte ihm Paddington auf die Schulter und brummte: »Windsor-Park 32.«

Der Taxifahrer zuckte zusammen und wäre um ein Haar in einen Bus hineingefahren.

»Creme!«, rief er wütend und blickte auf seinen Ärmel. »Auf meiner neuen Lederjacke!«

Judy kicherte, und Mr Brown blickte auf die Zähluhr, als würde sie nun gleich um zwei Schilling steigen.

»Entschuldigung!«, sagte der kleine Bär und versuchte, mit den Pfoten die Creme von der Lederjacke wegzuwischen. Aber da kamen zur rosaroten Creme noch schwarze, klebrige Rosinen hinzu.

Noch nie hatte Paddington so zornige Augen gesehen. Gott sei Dank muss der Fahrer mit beiden Händen das Steuerrad festhalten, dachte er.

Zur Entschuldigung lüftete er seinen Hut. Aber der Fahrer hatte für Höflichkeit keinen Sinn. Auch für kleine Bären nicht; er lächelte nicht einmal.

»Herrje«, rief Mrs Brown, »wenn wir zu Hause sind, muss Paddington sofort in die Badewanne.«

Als der kleine Bär das hörte, wurde es ihm ganz ungemütlich. Mit dem Waschen war das so eine Sache. Zudem fand er es schade, dass die süße, rosarote Creme abgewaschen werden sollte.

Doch bevor Paddington richtig darüber nachgedacht hatte, hielt das Taxi an. Die Browns stiegen aus. Der kleine Bär nahm seinen Koffer und folgte Judy. Sie stiegen eine steile Treppe hinauf, bis sie vor einer großen, grünen Tür standen.

»So, und jetzt lernst du Mrs Bird kennen«, sagte Judy. »Mrs Bird besorgt uns den Haushalt. Sie ist manchmal ein bisschen grimmig und schimpft oft, aber sie meint es gar nicht so. Sie wird dich sicher gernhaben.«

Die Beine des kleinen Bären begannen zu zittern. Ängstlich sah er sich nach Mr und Mrs Brown um, aber die sprachen noch immer mit dem Taxifahrer. Da hörte Paddington plötzlich Schritte hinter der grünen Tür.

»Bestimmt werde ich Mrs Bird gernhaben«, stotterte er aufgeregt und sah zu dem blitzblank polierten Briefschlitz hinauf. »Aber ob sie kleine Bären mag?«

Paddington in der Badewanne

Mrs Bird stand unter der Türe.

»Ach, du liebe Zeit!«, rief sie und schlug die Hände über dem Kopf zusammen. »Bist du schon da, Judy? Ich bin gerade beim Abwaschen.«

»Ja, ich bin schon da!«, lachte Judy und trat dann zur Seite.

Mrs Birds Augen wurden plötzlich kugelrund. Sie starrte den kleinen Bären an. »Mein Gott! Was hast du denn da mitgebracht?«, rief sie erschrocken.

»Das ist Paddington«, sagte Judy vergnügt. »Wir haben ihn im Bahnhof hinter den Postsäcken gefunden.«

Der kleine Bär lüftete seinen Hut.

»Das ist ja ein Bär!«, rief Mrs Bird ängstlich und trat einen Schritt zurück.

»Er tut nichts. Paddington will bei uns bleiben. Er ist aus Peru hergekommen. Hier kennt er keinen Menschen, niemanden, zu dem er gehen könnte.«

»Bei uns bleiben! Ein Bär!« Mrs Bird schlug wieder die Hände überm Kopf zusammen. »Wie lange will er denn bei uns bleiben?«

Judy fing an zu stottern und sah sich Hilfe suchend um. »Ich weiß nicht ... Das hängt ganz ... ganz von den Umständen ab.«

»Du meine Güte!«, rief Mrs Bird bestürzt. »So etwas!« Sie sah Paddington an.

»Wenn er schon einmal da ist, dann soll er meinetwegen hereinkommen«, brummte sie dann.

»Schönen Dank«, sagte der kleine Bär. »Ich glaube, man wünscht allgemein, dass ich mich waschen soll. Ich hatte nämlich einen Unfall mit einem Kuchen.«

»Einen Unfall mit einem Kuchen? Du bist einfach schmutzig!« Mrs Bird hielt die Türe ganz weit offen. »Pass auf, dass du mir den Teppich nicht schmutzig machst! Ich habe ihn heute früh ausgeklopft.«

Judy nahm den kleinen Bären bei der Pfote. Sie strahlte über das ganze Gesicht.

»Ich glaube, sie mag dich«, flüsterte sie Paddington zu.

Der nickte: »Genauso wie meine alte, brummige Tante!«

Mrs Bird drehte sich um. »Was hast du gesagt?«

»Ich … ich …«, stotterte Paddington erschrocken und brachte kein Wort hervor.

»Woher kommst du? Aus Peru?«

»Ja, aus Peru«, sagte Paddington.

Mrs Bird machte ein nachdenkliches Gesicht.

»Peru …«, murmelte sie vor sich hin, »Peru … dann magst du sicher Marmelade.«

»Siehst du«, jubelte Judy, »hab ich's dir nicht gesagt, sie mag dich wirklich!«

»Seltsam, Mrs Bird weiß sogar, dass Leute aus Peru Marmelade mögen«, murmelte Paddington, als sich die Tür hinter der Haushälterin geschlossen hatte.

»Mrs Bird weiß eben alles«, sagte Judy. »Aber jetzt komm, ich will dir dein Zimmer zeigen! Als ich noch ganz klein war, war es mein Zimmer. An den Wänden hängen lauter Bärenbilder. Es wird dir sicher gefallen.«

Judy lief die Treppe hinauf und der kleine Bär blieb ihr dicht auf den Fersen. Er bemühte sich, ganz nahe am Geländer zu gehen, damit der schöne, rote Teppich nicht schmutzig würde.

»Hier ist das Badezimmer«, sagte Judy, »und hier wohnt Jonathan, mein Bruder. Du wirst ihn bald kennen lernen. Und das hier ist Mamas und Papas Zimmer.« Sie lief noch ein Stück weit den Gang entlang: »Und hier ist dein Zimmer.«

Paddington fiel vor Staunen fast um, als er das Zimmer betrat. Ein so großes Bett! Und gegenüber stand ein Schrank mit einem hohen Spiegel.

»In diese Kommode kannst du deine Sachen legen«, sagte Judy.

Paddington sah die große Schublade an und dann seinen kleinen Koffer.

»Ich hab nicht viel. Das ist so, wenn man klein ist. Niemand glaubt, dass man auch gerne etwas Eigenes haben möchte.«

»Dann müssen wir eben ein paar Sachen kaufen«, schlug Judy vor. »Mama wird dich zum Einkaufen mitnehmen.« Schon kniete sie vor der Kommode.

»Komm, ich helfe dir beim Auspacken!«

Paddington fummelte an seinem Köfferchen herum.

»Ich glaub nicht, dass es viel zu helfen gibt«, brummte er kleinlaut. »Es ist nur ein Marmeladenglas darin und das ist halb leer.«

Er öffnete den Koffer und Judy schaute hinein. »Ein Foto! Zeig her!«, rief sie.

Paddington zog ein zerknittertes Foto unter dem Marmeladenglas hervor. »Das da ist Tante Lucy.«

»Die sieht nett aus!«, sagte Judy. Als sie sah, dass in dem kleinen Koffer wirklich nichts anderes war als das Marmeladenglas und das Foto und dass der kleine Bär deswegen ganz traurig war, nahm sie ihn bei der Pfote und sagte: »Komm, Paddington, jetzt darfst du in die Badewanne! Und dann kommst du sauber gewaschen zu uns hinunter.«

Im Badezimmer zeigte sie ihm alles.

»Aus diesen beiden Hähnen kommt Wasser; aus dem rechten Hahn mit dem roten Knopf heißes Wasser und aus dem linken Hahn mit dem schwarzen Knopf kaltes Wasser. Seife ist auch da und ein großes Handtuch. Und dort liegt eine Bürste. Damit kannst du dir den Rücken schrubben.«

»Ziemlich schwierig ist das alles«, murmelte der kleine Bär. »Wäre es nicht besser, wenn ich mich in eine Regenpfütze oder so etwas Ähnliches setze?«

»Lieber nicht!«, lachte Judy. »Und vergiss nicht, die Ohren zu waschen! Die sind ganz schwarz.«

»Die Ohren kleiner Bären sind eben schwarz, die müssen schwarz sein«, sagte Paddington, aber schon hatte Judy die Badezimmertür geschlossen und Paddington war allein. Er kletterte auf einen Stuhl und schaute zuerst einmal zum Fenster hinaus. Unten lag ein riesiger Garten mit einem Teich und vielen Bäumen.

Da kann man herumklettern, dachte der kleine Bär. Aber es war sicher auch lustig, in einem Haus zu wohnen. Er schaute und dachte nach, bis das Fenster von seinem Atem ganz undurchsichtig wurde. Da versuchte er, mit der Pfote seinen neuen Namen auf die Fensterscheibe zu schreiben: Paddington. Er seufzte, sprang vom Stuhl und kletterte auf den Waschtisch. Von hier aus konnte er sich im Spiegel betrachten.

Nein, fein sah er nicht aus. Und Paddington war gewiss ein schöner Name. Sicher gab es auf der ganzen Welt keinen einzigen kleinen Bären, der Paddington hieß.

Währenddessen saß die Familie Brown unten im Wohnzimmer. Man sprach über den kleinen Bären. Judy war es, die zuerst vorgeschlagen hatte, Paddington für immer zu behalten. Ihr Bruder Jonathan war sofort damit einverstanden und auch Mrs Brown. Jonathan hatte zwar den kleinen Bären noch nicht gesehen, aber allein der Gedanke, einen kleinen Bären zu Hause zu haben, genügte ihm, um zuzustimmen.

»Henry«, sagte Mrs Brown, »wir können den kleinen Bären unmöglich wieder fortschicken.«

Mr Brown seufzte. Er wusste nur zu gut, dass er gegen den Willen von Judy, Jonathan und seiner Frau nicht ankam. Er selbst mochte den kleinen Bären auch und im Geheimen dachte er genauso wie seine Frau und die Kinder. Aber was würden die Nachbarn sagen, wenn sie erfuhren, dass bei der Familie Brown ein Bär wohnte?

»Ich glaube, es ist besser, wenn wir zuerst bei der Polizei anfragen, ob man einen Bären im Haus haben darf.«

»Warum denn nicht?«, fragte Jonathan. »Wir sollten besser niemandem etwas von Paddington sagen, sonst sperrt man ihn noch ein, weil er aus Peru fortgelaufen ist.«

Mrs Brown legte ihr Strickzeug weg.

»Ich glaube, Jonathan hat recht. Bei der Polizei muss man immer vorsichtig sein.«

Mr Brown wiegte den Kopf hin und her.

»Ja«, sagte er schließlich, »aber wie steht es mit dem Taschengeld? Ich weiß gar nicht, wie viel Taschengeld ein Bär bekommt.«

»Geben wir ihm doch genau gleich viel wie den Kindern«, schlug Mrs Brown vor.

Mr Brown zündete sich langsam die Pfeife an, ehe er weitersprach.

»Gut, gut«, sagte er, »aber jetzt müsst ihr noch Mrs Bird fragen!«

»Frag sie doch selber! Schließlich bist du es gewesen, der Paddington im Bahnhof entdeckt hat.«

Mr Brown hustete verlegen. Ein bisschen fürchtete er sich vor Mrs Bird. Er war nicht sicher, wie sie einen solchen Vorschlag aufnehmen würde.

Er wollte gerade sagen, man müsse noch etwas zuwarten, als sich die Tür öffnete und Mrs Bird mit der Teekanne hereinkam.

»Mrs Bird ..., wir haben gerade ...«

Aber Mr Brown kam nicht weiter. Mrs Bird blickte in die erwartungsvollen Gesichter und lächelte.

»Ich glaube, Mr Brown, Sie wollten mir mitteilen, dass die Familie Brown beschlossen hat, den kleinen Bären hierzubehalten, oder?«

»Ja, dürfen wir?«, riefen Judy und Jonathan. »Bitte, bitte, sagen Sie doch etwas! Paddington ist bestimmt sehr lieb.«

Mrs Bird stellte zuerst einmal die Teekanne ab, räusperte sich und meinte dann: »Mit dem Liebsein ist das so eine Sache. Davon haben gewisse Leute«, – und dabei sah sie auf Jonathan und Judy –, »ganz seltsame Vorstellungen. Aber ich glaube, dass der kleine Bär sich Mühe gibt.«

»Dann haben Sie also nichts dagegen, Mrs Bird, wenn wir den kleinen Bären ...«

Mrs Bird unterbrach Mr Brown.

»Nein, was sollte ich dagegen haben? Paddington ist ein süßer, kleiner Bär. Das wird ganz lustig, einen kleinen Bären im Hause zu haben.«

Als Mrs Bird in die Küche hinausging, sagte Mrs Brown erstaunt: »Wer hätte das gedacht?«

»Ich glaube, das kommt nur daher, weil Paddington vor Mrs Bird seinen Hut gezogen hat«, sagte Judy. »Mrs Bird mag höfliche Leute.«

Mrs Brown nahm ihr Strickzeug wieder auf. »Ich denke, jemand sollte Tante Lucy schreiben. Sicher wird sie glücklich sein, wenn sie weiß, dass es ihrem kleinen Bären gut geht.« Sie wandte sich an Judy. »Du und Jonathan könntet eigentlich den Brief schreiben.«

»Ja, aber wo ist denn Paddington die ganze Zeit?«, fragte Mr Brown. »Ist er noch in seinem Zimmer?«

»Oh, alles in Ordnung. Paddington ist in der Badewanne«, sagte Judy.

»In der Badewanne«, rief Mrs Brown erschrocken. »Er ist doch viel zu klein für die große Badewanne.«

»Reg dich nicht auf!«, sagte Mr Brown. »Das ist vielleicht der schönste Augenblick seines Lebens.«

Mr Brown hatte gar nicht danebengeraten.

Gerade in diesem Augenblick saß Paddington mitten im Badezimmer und malte mit der Rasiercreme von Mr Brown eine Landkarte von Südamerika auf den Fußboden. Er liebte Geographie über alles. Tante Lucy war eine sehr kluge alte Bärenfrau, die dem kleinen Bären viel beigebracht hatte. So kannte Paddington viele Länder. Und weil es eine große Reise um die halbe Welt gewesen war, brauchte er fast den ganzen Badezimmerboden für seine Karte und den Inhalt der ganzen Tube. Mit dem letzten Rest versuchte er zuletzt noch, PADDINGTON zu schreiben. Alles sah großartig aus.

Erst als warmes Wasser auf seine Nase tropfte, merkte er, dass die Wanne voll war und das Wasser über den Rand lief. Seufzend kletterte Paddington auf den Rand der Wanne, schloss beide Augen, hielt sich mit einer Pfote die Nase zu und sprang ins Wasser.

Au! Das Wasser war heiß und seifig! Und die Wanne war viel tiefer, als er gedacht hatte. Er musste sich fast auf die Zehenspitzen stellen, um mit der Nase über dem Wasser zu bleiben.

Paddington erschrak. In eine Badewanne hineinzukommen ist eines, aber wieder hinauszuklettern, das ist etwas ganz anderes, erst recht, wenn einem das Wasser bis zur Nase reicht und die Wände von der Seife ganz glitschig sind. Nicht einmal die Wasserhähne konnte Paddington finden. Er rief: »Hilfe!«, zuerst ganz leise und dann immer lauter: »Hilfe, Hilfe!«

Aber niemand kam. Plötzlich fiel dem kleinen Bären etwas ein. Wie gut, dass er noch immer seinen Hut aufhatte. Er packte ihn mit beiden Pfoten und begann, Wasser aus der Badewanne zu schöpfen. Zwar hatte der Hut mehrere Löcher, weil er schon so alt war und schon seinem Onkel gehört hatte, aber es ging doch ganz gut mit dem Wasserschöpfen.

»Komisch!«, rief unten Mr Brown plötzlich und rieb sich den Kopf. Auf seiner Zeitung war ein großer Wasserfleck. »Woher nur das Wasser kommt?«

»Unsinn, Henry! Wo soll da Wasser herkommen?«, fragte Mrs Brown und strickte fleißig weiter, ohne auch nur aufzusehen. Mr Brown murmelte etwas vor sich hin und vertiefte sich wieder in seine Zeitung. Er wusste ganz genau, dass es irgendwoher getropft hatte. Aber er wusste auch, dass es zwecklos war, darüber zu streiten. Misstrauisch sah er zu den Kindern hinüber, aber die waren eifrig mit dem Brief an Tante Lucy beschäftigt.

»Wie viel kostet eigentlich ein Brief nach Peru?«, fragte Jonathan. Mr Brown wollte gerade antworten, als ein zweiter Tropfen von der Decke mitten auf den Tisch fiel, ein ganz großer Tropfen.

»So was!«, rief Judy und sah zur Decke, wo sich ein riesiger, feuchter Fleck ausbreitete, genau dort, wo das Badezimmer lag.

»Wo wollt ihr denn hin, Kinder?«, fragte Mrs Brown.

»Ach, nur rasch nachsehen, was Paddington im Badezimmer macht«, sagte Judy und schob ihren Bruder zur Tür hinaus.

»Bist du verrückt?«, schimpfte Jonathan. »Was ist denn los?«

»Paddington!«, keuchte Judy. »Wir müssen ihm helfen!«

Sie rannten die Treppe hinauf. Sie rannten den Flur entlang und stürzten ins Badezimmer. Vor lauter Dampf konnten sie zuerst gar nichts sehen. Aber dann blieb den Kindern das Wort im Halse stecken.

»Oh, Paddington!«, konnte Judy gerade noch sagen, und schon beugte sie sich über die Badewanne und zog mit Jonathans Hilfe den kleinen Bären heraus.

»Oh, Paddington! Gottlob ist dir nichts passiert!«

Aber dann sahen sie sich entsetzt im Badezimmer um. Der kleine Bär saß in einer Wasserlache und brummte: »Welch ein Glück, dass ich beim Baden meinen Hut aufhatte!«

»Aber warum hast du denn nicht einfach den Stöpsel herausgezogen?«, rief Judy.

Der patschnasse Bär stotterte: »Da...daran habe ich gar nicht gedacht.«

Jonathan konnte sich am Badezimmer nicht sattsehen: »Toll! Einfach toll! Was der in so kurzer Zeit alles angestellt hat, das habe ich nie fertiggebracht.«

Paddington stand auf und blickte sich um. Der ganze Boden war mit weißem Rasierschaum bedeckt, aber die schöne Landkarte von Südamerika war verschwunden.

»Es sieht ein bisschen unordentlich aus«, gab der

kleine Bär zu. »Ich weiß gar nicht, wie das alles gekommen ist.«

Judy stellte den kleinen Bären auf die Füße und wickelte ihn in ein Handtuch. »Unordentlich? Das gibt eine Menge Arbeit, Paddington, bevor wir hinuntergehen! Ich weiß nicht, was geschieht, wenn Mrs Bird das zu sehen bekommt.«

»Aber ich weiß es!«, rief Jonathan. »Mir hat sie es schon öfter angedroht.«

Judy begann, den Boden aufzuwischen.

»Trockne dich nur selber gut ab, Paddington«, sagte sie, »sonst bekommst du Schnupfen.«

Der kleine Bär fuhr sich mit dem Badetuch übers Fell.

Als er sich im Spiegel anschaute, meinte er: »Wirklich, ich bin schon ein kleines bisschen sauberer geworden. Ich sehe mir fast gar nicht mehr ähnlich.«

Ja, Paddington war wirklich viel sauberer geworden. Sein Fell schimmerte hellbraun, nicht mehr so dunkel. Paddington sah aus wie eine neue Bürste. Seine Nase glänzte und an seinen Ohren war keine Spur von Marmelade oder Creme zu sehen.

Paddington sah so sauber aus, dass alle im Wohnzimmer so taten, als würden sie ihn nicht wiedererkennen.

»Der Lieferanteneingang ist dort drüben«, sagte Mr Brown hinter seiner Zeitung hervor.

Mrs Brown ließ ihr Strickzeug sinken und sah ihn ganz fremd an: »Ich glaube, Sie haben sich im Haus geirrt. Hier ist Nummer 32 und nicht Nummer 34.«

Auch Jonathan und Judy taten so, als sei Paddingtons Besuch ein Missverständnis.

Paddington wollte schon ärgerlich werden, als alle in lautes Gelächter ausbrachen und riefen: »Nein! Wie schön du aussiehst, wie fein du dich gemacht hast!«

Sie machten ihm ganz nahe am Kamin in einem kleinen Lehnstuhl Platz und Mrs Bird brachte eine große Teekanne und Butterbrote.

Nachdem sich alle gemütlich zurechtgesetzt hatten, sagte Mr Brown: »Und jetzt erzähl uns ein bisschen von dir und vor allem, wie du von Peru nach England gekommen bist!«

Paddington machte es sich im Lehnstuhl bequem. Dann fuhr er sich mit der Zunge über den Bart, wo noch ein kleiner Butterrest klebte, legte die Vorderpfoten über den Bauch und streckte die Hinterpfoten gegen das Feuer.

Er hatte es gern, wenn ihm jemand zuhörte, besonders wenn es so schön warm und alles so gemütlich war.

»Ich bin im dunkelsten Peru aufgewachsen«, begann er, »bei Tante Lucy. Sie lebt in Lima in einem Haus für alte Bären.« Paddington musste fest nachdenken, und er schloss die Augen, weil Bären so besser denken können.

Es wurde mäuschenstill im Zimmer und alle warteten gespannt. Aber als kein Wort mehr kam, wurden die Kinder unruhig. Mr Brown hustete. »Das scheint keine besonders aufregende Geschichte zu sein«, meinte er schließlich. Er beugte sich zum kleinen Bären hinüber und stupste ihn mit dem Pfeifenstiel.

»Na, so was!«, rief er. »Ich glaube, Paddington ist eingeschlafen.«

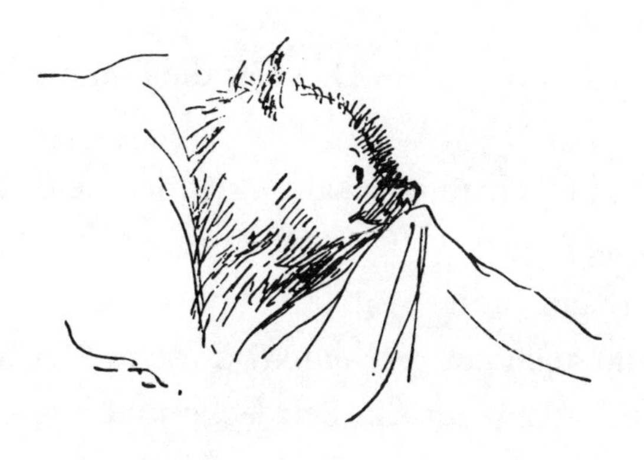

Abenteuer auf der Rolltreppe

Als Paddington am nächsten Morgen aufwachte, lag er in seinem Bett. Darüber war er sehr erstaunt. Herrlich, dachte er, gähnte und zog die Decke über den Kopf. Dann streckte er sein linkes Bein aus dem Bett und fand, es sei draußen ziemlich kalt. Für den kleinen Bären war ein so großes Bett etwas Wunderbares; man hatte so viel Platz darin.

Nach ein paar Minuten hob er seinen Kopf und schnupperte. Ein herrlicher Duft stieg ihm in die Nase, ein Duft, der unter der Tür hindurch zu ihm hinüberzog.

Er hörte Schritte auf der Treppe, Schritte, die immer näher kamen und vor seiner Tür Halt machten.

Es klopfte.

»Bist du schon wach?« Das war die Stimme von Mrs Bird.

»Gerade bin ich aufgewacht!«, rief der kleine Bär und rieb sich die Augen.

Die Türe ging auf.

»Hast du auch gut geschlafen?«, fragte Mrs Bird. Sie stellte ein Tablett auf die Bettdecke und zog die Vorhänge zurück. »Dass du es nur weißt: Es ist eine große Ausnahme, dass ich dir an einem ganz gewöhnlichen Werktag das Frühstück ans Bett bringe.«

Der kleine Bär schaute hungrig aufs Tablett. Da gab es einen ganz großen Topf mit Marmelade, da gab es Eier, Schinken, Brot, Käse, eine halbe Grapefruit und eine große Tasse Tee, weil man in England immer Tee trinkt.

»Das alles soll für mich sein?«, rief Paddington.

»Wenn's dir nicht passt, dann nehme ich gleich alles wieder mit!«, sagte Mrs Bird.

»Nein, nein«, rief Paddington, »alles passt mir, nur habe ich sonst nie so viel zum Frühstück bekommen.«

»Gut, aber mach jetzt ein bisschen vorwärts!« Mrs Bird drehte sich unter der Türe um und sagte: »Du darfst nämlich heute Morgen mit Mrs Brown und Judy in die Stadt; sie wollen einkaufen. Da kann ich nur sagen: Gott sei Dank muss ich nicht mit!«

Paddington wollte antworten, aber schon hatte Mrs Bird die Tür geschlossen.

Mich nimmt bloß wunder, was sie damit gemeint hat, überlegte Paddington. Aber zum Überlegen blieb jetzt nicht viel Zeit. Es gab so viel zu tun. Es war das erste Mal, dass er im Bett frühstückte, und er merkte gleich, dass es gar nicht so einfach war.

Zuerst fiel der Deckel des Marmeladentopfes in die Eier. Als der kleine Bär danach greifen wollte, verschüttete er den Tee. Nun schwamm alles auf dem Tablett wie in einem großen See. Der Käse ragte daraus wie eine kleine Insel hervor. Und als Paddington die Grapefruit auslöffeln wollte, spritzte ihm der Saft in das rechte Auge!

Das alles kommt nur daher, weil die Kissen zu weich sind, dachte Paddington. Schließlich fand er, es sei besser, wenn er sich auf das Tablett setzte und mit dem Löffel alles herausfischte.

»Aber Paddington!«, rief Judy, als sie ein paar Minuten später ins Zimmer trat und ihn so auf dem Tablett sitzen sah. »Was hast du schon wieder angestellt! Dabei solltest du dich beeilen. Alle warten auf dich.«

Der kleine Bär zuckte zusammen. Das linke Auge, das noch nicht mit Spiegelei und Brotkrumen zugeklebt war, blickte Judy ganz fröhlich an. Er versuchte, etwas zu sagen, aber mit vollem Mund brachte er nichts heraus als etwas, das so klang wie »ich komme gleich«.

»So was!« Judy nahm ihr Taschentuch und wischte dem Bär das Gesicht ab. »Du bist der allerklebrigste Bär, den ich mir vorstellen kann. Und wenn du nicht vorwärtsmachst, dann ist es aus mit all den schönen Sachen, die meine Mama dir kaufen will. Kämm dich also schnell und komm hinunter!«

Als sie die Türe geschlossen hatte, schaute Paddington auf die Reste seines Frühstücks. Das meiste hatte er aufgegessen, aber da war noch ein großes Stück Speck, das er nicht liegen lassen wollte. Er stopfte es kurzerhand in seinen Koffer. Vielleicht hatte er später wieder Hunger.

Dann hopste er ins Badezimmer. Mit ganz wenig Wasser schrubbte er sich das Gesicht, dann kämmte er seinen Bart.

Wenige Augenblicke später stand er unten, nicht ganz so sauber wie am Abend zuvor. Unter seinem Hut sah man das aber nicht.

»Ich will hoffen, dass du diesen schrecklichen Hut nicht trägst, wenn wir in die Stadt gehen!«, sagte Mrs Brown, als sie den kleinen Bären sah.

»Oh, lass ihn doch, Mama!«, rief Judy. »Der Hut sieht doch wirklich ungewöhnlich aus.«

»Ungewöhnlich, das gewiss«, sagte Mrs Brown. »Ich kann mich nicht erinnern, je so einen scheußlichen Hut gesehen zu haben.«

»Das ist ein echter Cowboyhut!«, sagte Paddington gekränkt. »Und dieser Hut hat mir in der Badewanne das Leben gerettet.«

»Dein Leben gerettet in der Badewanne?« Mrs Brown schüttelte den Kopf. »Wie kann ein Hut in der Badewanne einem das Leben retten?« Der kleine Bär war schon drauf und dran, die Geschichte von der übergelaufenen Badewanne zu erzählen, als Judy ihn mit dem Ellenbogen in die Seite stieß und den Kopf schüttelte.

»Das ... das ist eben eine sehr, sehr lange Geschichte«, stotterte Paddington.

»Dann erzähl die Geschichte ein anderes Mal«, meinte Mrs Brown. »Jetzt müssen wir in die Stadt!«

Paddington nahm sein Köfferchen und trottete hinter Mrs Brown und Judy zur Haustüre. Unter der Tür blieb Mrs Brown stehen und schnupperte.

»Seltsam«, sagte sie, »sehr seltsam. Überall riecht es heute Morgen nach gebratenem Speck. Riechst du nichts, Paddington?«

Der kleine Bär erstarrte. Er versteckte schuldbewusst sein Köfferchen hinter seinem Rücken und schnüffelte. Dann machte er das unschuldigste Gesicht der Welt. »Ja, das ist sehr sonderbar, dass es überall nach gebratenem Speck riecht!«, sagte er treuherzig.

Als sie auf dem Weg zur U-Bahn-Station waren, flüsterte Judy ihm zu: »Wenn ich du wäre, dann würde ich den Koffer sorgfältiger packen.«

Paddington sah erschrocken auf sein Köfferchen. Ein großes Stück Speck hing heraus und schleifte über den Boden.

»Ksch ...«, zischte Mrs Brown, als ein großer, schmutziger Hund über die Straße geradewegs auf sie zugelaufen kam. Der kleine Bär schwenkte heftig seinen Koffer. »Weg da, Köter!«, brummte er. Der Hund leckte sich die Schnauze. Paddington blickte nochmals ängstlich zurück und drängte sich eng an Mrs Brown und Judy.

»Oh, Gott!«, rief Mrs Brown. »Ich habe heute ein so komisches Gefühl, als würden sich noch recht merkwürdige Dinge ereignen. Hast du nicht manchmal auch so ein Gefühl, Paddington?«

Der kleine Bär dachte einen Augenblick nach. »Doch, manchmal schon«, meinte er.

Aber nun betraten sie die U-Bahn-Station.

Ganz zuerst fühlte sich Paddington nicht recht wohl. Aber die Geräusche und die warme Luft gefielen ihm. Er betrachtete das kleine, grüne Kartonstück, das er in der Pfote hielt. Nach all dem Gesurre und Geklimper im Fahrkartenautomat war er etwas enttäuscht. Er hatte für die vier Penny-Stücke, die er eingeworfen hatte, mehr erwartet als so ein kleines Kartonstück.

»Viel ist es nicht gerade, was man für sein Geld bekommt!«, brummte er.

»Ach, Paddington!«, seufzte Mrs Brown. »Diese kleine, grüne Karte hast du nur bekommen, damit du mit der Bahn fahren kannst. Sonst lassen sie dich gar nicht herein.«

Sie schaute sich um. Im Stillen wünschte sie, sie wäre erst später in die Stadt gegangen. Dann gäbe es bestimmt nicht mehr so viele Leute wie jetzt. Und vor allem diese Hunde! Nicht nur einer, nein, nicht weniger als sechs waren ihnen in die Station hinein gefolgt. Mrs Brown hatte irgendwie das Gefühl, dass das mit Paddington zusammenhing. Aber der blickte sie aus seinen braunen Augen so treuherzig an, dass sie gleich ein schlechtes Gewissen bekam, weil sie solche Gedanken hatte.

»Ich glaube, es ist besser, wenn ich dich auf der Rolltreppe trage«, meinte Mrs Brown. »Hunde soll man auch tragen. Über Bären steht natürlich nichts da.«

Der kleine Bär gab keine Antwort. Er folgte Mrs Brown und Judy wie im Traum. Weil er ein so kleiner Bär war, konnte er nicht viel sehen, aber er blickte dennoch um sich und staunte. So viele Leute hatte er noch nie auf einmal gesehen. Auf der anderen Seite fuhren sie auf der Rolltreppe hinauf und auf dieser Seite hinunter. Alle hatten es eilig. Als Paddington von der Rolltreppe stieg, wurde er von einem dicken Mann mit einem Regenschirm und einer Frau mit einer großen Tasche eingeklemmt und fortgetragen. Nachdem er sich endlich losgestrampelt hatte und wieder auf dem Boden stand, waren Mrs Brown und Judy spurlos verschwunden.

Und dann sah er plötzlich etwas, das ihn ganz verwirrte. Zweimal musste er auf die Tafel schauen, aber immer las er dieselben Worte: GELBES LICHT: RICHTUNG PADDINGTON. Das war ja sein Name!

Der kleine Bär fand mit einem Mal eine U-Bahn-Station einfach herrlich, herrlicher als alles, was er bisher erlebt hatte. Er drehte sich um und folgte dem gelben Licht, bis er auf eine Menschenmenge stieß, die vor der Rolltreppe stand. Der kleine Bär stellte sich hinten an und wartete, bis er hinauffahren konnte.

»He, he!«, rief der Mann, der oben die Fahrkarten kontrollierte. »Was soll denn das heißen! Du bist ja noch gar nirgends hingefahren.«

»Ich weiß«, sagte der kleine Bär verwirrt. »Ich glaube, ich habe etwas falsch gemacht.«

Der Mann kniff misstrauisch seine Augen zusammen

und rief den Inspektor. »Da, dieser kleine Bär da, der nach gebratenem Speck riecht, behauptet, er hätte einen Fehler gemacht.«

Der Inspektor steckte seinen Daumen in die Westentasche und sah Paddington streng an. »Die Rolltreppe ist nur für Reisende da und kein Spielplatz für kleine Bären. Dazu noch um diese Zeit.«

»Ja, Herr Inspektor«, sagte Paddington und zog höflich seinen Hut. »Aber wir haben eben keine Roll... Roll...«

»Rolltreppen«, ergänzte der Inspektor.

»Ja, wir haben eben keine Rolltreppen im dunkelsten Peru. Ich bin noch nie auf einer Rolltreppe gefahren. Das ist ziemlich schwer.«

»Peru?«, sagte der Inspektor erstaunt. »Ja, wenn du aus Peru kommst, dann will ich für dieses Mal ein Auge zudrücken. Du fährst am besten wieder hinunter. Aber wehe, wenn ich dich ein zweites Mal erwische.«

Dann hob er die Kette zwischen den beiden Rolltreppen hoch.

»Vielen Dank, Herr Inspektor«, sagte der kleine Bär und schlüpfte unter der Kette hindurch. Er wollte seinen Hut lüften, aber da war er schon fast wieder unten angekommen. Ein Mann hinter ihm stupste ihn plötzlich mit seinem Schirm: »Jemand ruft nach dir.«

Paddington schaute sich um. Auf der Rolltreppe nebenan, die nach oben fuhr, entdeckte er Mrs Brown und Judy. Sie winkten ihm aufgeregt zu und Mrs Brown rief mehrmals: »Anhalten! Anhalten, bitte!«

Paddington drehte sich um und rannte die abwärtsfahrende Rolltreppe hinauf. Aber er schaffte es nicht. Seine Beine waren zu kurz. Die Rolltreppe fuhr zu schnell. Er rannte und starrte immer auf die Treppe. So bemerkte er den dicken Mann mit seinem Koffer nicht. Zu spät! Der dicke Mann stolperte, fluchte und fiel über Paddington die Treppe hinunter und riss noch ein paar Leute mit. Bum, bum, bum kollerten sie die Treppe hinunter und blieben dann liegen.

Verwirrt schaute Paddington um sich. Der dicke Mann hatte sich aufgerappelt, saß am Boden und rieb sich den Kopf. Die Leute schimpften. Es war ein großes Durcheinander.

Ganz oben auf der anderen Rolltreppe konnte Paddington noch Mrs Brown und Judy sehen. Ängstlich sah er sich um. Plötzlich bemerkte er ein kleines Schild an der Rolltreppe. Darauf stand in großen, roten Buchstaben: BEI GEFAHR KNOPF DRÜCKEN, und darunter in kleineren Buchstaben: »Missbrauch wird bestraft!« Aber in der Eile übersah Paddington diesen Satz. Es war doch wirklich gefährlich. Er drückte auf den Knopf.

Wenn schon ein Durcheinander herrschte, solange die Rolltreppe noch fuhr, so war jetzt, als sie stillstand, der Tumult noch schlimmer. Die Leute liefen in alle Richtungen durcheinander, stießen und drückten einander. Ein Mann schrie: »Feuer!« Irgendwo fing eine Glocke schrill zu läuten an.

Paddington freute sich an dem ganzen Durcheinander. Doch plötzlich spürte er eine schwere Hand auf seiner Schulter.

»Der war's!«, schrie jemand und zeigte mit dem Finger auf den kleinen Bären. »Ich hab es mit eigenen Augen gesehen, wie er auf den Knopf gedrückt hat.«

»Was fällt diesem kleinen, nichtsnutzigen Bären eigentlich ein!«, rief ein anderer entrüstet.

»Man muss einen Polizisten holen!«, schrie eine Frau.

»Ja, Polizei«, stimmten andere zu.

Paddington fing an, sich zu fürchten. Er schaute hoch und sah in das Gesicht des Mannes, der ihn noch immer an der Schulter festhielt.

»Oh!«, sagte eine strenge Stimme. »Du warst das also. Das hätte ich mir doch gleich denken können!«

Der Inspektor zog sein Notizbuch heraus.

»Name!«

»... Pa... Paddington«, stotterte der kleine Bär.

»Ich hab dich nach deinem Namen gefragt und nicht nach der Station, wo du hinfahren wolltest«, knurrte der Inspektor.

»Ich heiße aber Paddington«, sagte der kleine Bär, »das ist mein Name.«

»Mach keine faulen Witze!«, rief der Inspektor. »Paddington, das ist der Name eines Bahnhofs. So heißt doch kein Mensch!«

»Aber ich heiße Paddington«, sagte der kleine Bär. »Paddington Brown, und ich wohne Windsor-Park 32. Ich habe Mrs Brown und Judy verloren.«

»Aha!«, sagte der Inspektor und schrieb etwas in sein Notizbuch.

»Deine Fahrkarte!«

Paddington betrachtete seine Pfoten. Wo war nur die kleine, grüne Karte geblieben?

»... Ich hatte die Fahrkarte eben noch«, stotterte er. »Wo ist nur meine Fahrkarte?«

Der Inspektor zog die Augenbrauen hoch und schrieb alles auf:

Auf der Rolltreppe in verkehrter Richtung gerannt ...

Einen Herrn umgeworfen ...

Ohne Fahrkarte gefahren ...

Die Rolltreppe angehalten ...

»Was hast du dazu zu sagen, he?«, rief der Inspektor streng.

Der kleine Bär fühlte sich sehr unglücklich und schaute betreten auf seine Füße.

»Hast du schon einmal in deinen Hut geschaut?«, fragte der Inspektor nun etwas freundlicher. »Oft stecken Männer ihre Fahrkarte dorthin.«

»Ich wusste doch, dass ich die Fahrkarte hatte«, sagte der kleine Bär dankbar und reichte sie dem Inspektor. Der gab sie ihm wieder zurück.

»Ich verstehe nicht, warum du nicht abgefahren bist. Was hast du denn hier getrieben, ohne wegzufahren? Fährst du öfter mit der U-Bahn?«

»Nein, heute zum ersten Mal.«

»Und das letzte Mal, wenn ich etwas dazu zu sagen habe«, rief Mrs Brown, die plötzlich atemlos vor ihnen stand.

»Ist das Ihr Bär?«, fragte der Inspektor. »Der hat ja allerhand auf dem Kerbholz!«

Er blickte in sein Notizbuch.

»Auf der Rolltreppe in verkehrter Richtung gerannt. – Einen Herrn umgeworfen. – Die Rolltreppe angehalten ... Soweit ich es überblicken kann, muss ich ihn leider verhaften.«

»Um Himmels willen!«, rief Mrs Brown. »Müssen Sie das wirklich? Er ist doch noch so klein und er ist zum ersten Mal in London. Er tut es bestimmt nie wieder.«

»Das schützt vor Strafe nicht«, erwiderte der Inspektor.

Mrs Brown fuhr sich mit der Hand über die Stirn. Sie sah Paddington schon in einer dunklen Gefängniszelle sitzen. Judy nahm Paddingtons Pfote und drückte sie fest. Der kleine Bär war froh, dass ihn überhaupt noch jemand mochte. Er hatte nämlich nicht viel von dem verstanden, was der Inspektor gesagt hatte.

Da kam Judy ein Gedanke. »Heißt es nicht, *Personen,* die gegen die Vorschriften verstoßen, werden bestraft?«, fragte sie den Inspektor.

»Gewiss, aber ich muss meine Pflicht erfüllen, da hilft alles nichts«, sagte der Inspektor.

»Aber ein kleiner Bär ist doch gar keine Person!«, rief Judy.

Der Inspektor kratzte sich am Kopf. »Nein, das stimmt eigentlich.« Er sah Judy an, dann den kleinen Bären, und dann blickte er ratlos um sich. Die Rolltreppe war wieder in Betrieb und die Menschen hatten sich verlaufen.

»Das ist ziemlich verwirrend«, murmelte er.

»Oh, vielen, vielen Dank!«, strahlte Judy. »Sie sind der netteste Mensch auf der ganzen Welt. Findest du das nicht auch, Paddington?«

Der kleine Bär nickte eifrig, und der Inspektor wusste nicht mehr, wohin er schauen sollte.

»Ich werde nur noch in dieser U-Bahn-Station abfahren«, sagte Paddington. »Das ist ganz bestimmt die schönste von ganz London.«

Der Inspektor schien noch etwas sagen zu wollen, aber dann schwieg er und lächelte.

»Kommt, Kinder!«, rief Mrs Brown rasch. »Wenn wir uns jetzt nicht beeilen, schaffen wir unsere Einkäufe nie.«

Oben bellte ein Hund.

Der Inspektor seufzte. »Ich versteh das alles nicht«,

murmelte er, »das war doch immer ein so ordentlicher, solider Bahnhof! Und nun?«

Nachdenklich sah er den drei Gestalten nach und rieb sich die Augen.

»Komisch!«, sagte er. »Ich hätte schwören können, dass ein Stück Speck aus dem Koffer hing.«

Er zuckte die Schultern. Er hatte sich um wichtigere Dinge zu kümmern.

Paddington kauft ein

Der Verkäufer in der Abteilung für Herrenbekleidung hielt Paddingtons Hut in der Hand und betrachtete ihn mit Abscheu.

»Ich nehme an, der junge … äh … Dingsda will diesen schäbigen Hut nicht länger tragen?«

»Oh, doch, das will ich«, sagte Paddington bestimmt. »Ich trage diesen Hut, seitdem ich auf der Welt bin. Und dann heiße ich nicht ›Dingsda‹, sondern Paddington!«

»Aber möchtest du nicht einen schönen neuen Hut haben?«, fragte da Mrs Brown.

Der kleine Bär dachte eine Weile nach. »Für alle Tage kann ich ja noch einen Hut nehmen«, sagte er dann, »und meinen alten trag ich dann nur sonntags.«

Der Verkäufer schüttelte sich.

»Albert!«, rief er einem Lehrling zu. »Schau mal nach, was wir bei Größe 4 noch an Hüten haben!« Albert fing an zu suchen.

»Inzwischen können wir uns einen warmen Wintermantel ansehen«, meinte Mrs Brown. »Ich habe an einen mit Kapuze gedacht, und für den Sommer nehmen wir gleich noch einen Plastik-Regenmantel mit.«

Der Verkäufer blickte sie hochnäsig an. Er machte sich gar nichts aus Bären. »Haben Sie sich schon im billigen Kaufhaus an der Ecke umgesehen?«, begann er.

»Billiges Kaufhaus? Nein! Das habe ich nicht!«, rief Mrs Brown empört. »Das habe ich auch gar nicht vor!«

»Nicht im Geringsten!«, sagte Paddington und warf dem Verkäufer einen wilden Bärenblick zu. Dem jungen Mann wurde es ungemütlich. Im Umgang mit Bären hatte er gar keine Erfahrung.

Mrs Brown zeigte auf einen hübschen, blauen Mantel mit Kapuze. »Der sieht recht nett aus, an so etwas habe ich gedacht!«, rief sie.

Der Verkäufer schluckte. »Ja, natürlich, warum nicht?«

Er wandte sich an den kleinen Bären. »Bitte, kommen Sie doch mit, junger Mann!«

Paddington folgte dem Verkäufer und behielt seinen wilden Bärenblick bei. Der Verkäufer wurde ganz rot vor Angst und fingerte nervös an seinem Kragen. Als sie an der Hutabteilung vorbeikamen, stand der Lehrling immer noch auf der Leiter und suchte nach einem Hut. Mit offenem Mund blickte er dem Bären nach. Paddington winkte ihm mit der Pfote. Einkaufen war für ihn ein großer Spaß. Er ließ sich von dem Verkäufer in den Mantel helfen und stellte sich vor den Spiegel. Es war der erste Mantel seines Lebens. In Peru war es immer sehr heiß, da brauchte man keinen Mantel. Tante Lucy hatte Paddington nur beigebracht, wegen der Sonne immer einen Hut zu tragen.

Im Mantel fand sich Paddington wunderschön. Erstaunt stellte er fest, dass er im Spiegel nicht nur sich selbst sehen konnte, sondern eine ganze Reihe von Bären. Wo er nur hinschaute, gab es Bären, und alle sahen sehr elegant aus.

»Ist die Kapuze nicht ein bisschen zu groß?«, fragte Mrs Brown.

»Dieses Jahr trägt man die Kapuzen groß«, erklärte der Verkäufer.

Er wollte noch sagen, dass Paddington ja auch einen

zu großen Hut trage, aber er besann sich noch rechtzeitig und schwieg. Bären waren ziemlich gefährlich. Man wusste nie genau, was sie dachten, und dieser Bär hier schien von einer besonders schwierigen Sorte zu sein.

»Gefällt dir der Mantel, Paddington?«, fragte Mrs Brown.

Paddington nickte. »Das ist ein hübscher Mantel«, sagte er. Mrs Brown und der Verkäufer seufzten erleichtert auf.

»Gut«, sagte Mrs Brown. »Dann nehmen wir ihn. Jetzt müssen wir nur noch den Hut haben und nach dem Regenmantel schauen.« Sie gingen hinüber, wo Albert, der Lehrling, einen Berg von Hüten aufgebaut hatte: Regenhüte, Lodenhüte, Sonnenhüte, Strohhüte und Filzhüte. Mrs Brown sah all diese Hüte an. »Es ist schwer, einen auszuwählen«, sagte sie und blickte auf Paddington. »Vor allem wegen seinen Ohren! Die stehen ziemlich weit ab.«

»Sie könnten ja Löcher in den Hut schneiden«, schlug der Lehrling vor.

Der Verkäufer warf ihm einen strengen Blick zu. »Löcher schneiden in einen Hut aus unserem Hause!«, rief er gekränkt.

Paddington drehte sich um und starrte ihn an.

»Ich ...« Dem Verkäufer versagte die Stimme.

»Ich glaube kaum, dass das nötig sein wird«, antwortete Mrs Brown rasch. »Er muss ja schließlich keinen richtigen Hut haben. Ich finde auch die grüne Mütze dort schön. Grün passt gut zu dem neuen Mantel. Eine Mütze dehnt sich so, dass man sie ohne weiteres über die Ohren ziehen kann.«

Alle waren sich einig, dass Paddington mit der Mütze großartig aussah. Während Mrs Brown nach einem Regenmantel suchte, guckte der kleine Bär noch einmal in den Spiegel. Er fand, dass es nicht einfach war, diesen neuen »Hut« zu lüften. Er saß so fest über den Ohren.

Der Verkäufer wollte den Mantel einpacken, aber dann einigte man sich, dass Paddington ihn gleich anziehen könne.

Der kleine Bär war stolz auf seine neuen Kleider, und er war sehr darauf bedacht, dass er gebührend bestaunt wurde. Nachdem er sich von dem Lehrling, der ihn am meisten bewunderte, verabschiedet hatte, warf er dem Verkäufer zum Abschied noch einen ganz wilden Bärenblick zu.

Das Warenhaus hatte mehrere Stockwerke und es gab auch hier eine Rolltreppe und einen Aufzug. Mrs Brown zögerte, dann nahm sie den kleinen Bären fest an der Pfote und führte ihn zum Aufzug. Von Rolltreppen hatte sie für heute genug.

Für Paddington war alles neu. Es machte ihm einen Riesenspaß, auch den Aufzug auszuprobieren. Nach wenigen Sekunden war er sich jedoch im Klaren, dass Rolltreppenfahren viel schöner war. Als er mit Mrs Brown in den Aufzug einstieg, waren schon viele Leute darin. Sie trugen viele Päckchen und keiner achtete auf den kleinen Bären. Eine Frau stellte Paddington sogar ihre Einkaufstasche auf den Kopf.

Der kleine Bär war heilfroh, als der Aufzug im Erdgeschoss hielt und man endlich aussteigen konnte.

Mrs Brown sah sich den kleinen Bären an. »Du bist ja ganz blass geworden!«, rief sie besorgt. »Ist dir nicht gut?«

»Mir ist sogar richtig schlecht«, murmelte Paddington. »Aufzugfahren mag ich nicht. Und ich wollte, ich hätte nicht so viel gefrühstückt!«

»Oje!« Mrs Brown blickte sich um. Judy, die unterdessen etwas für sich besorgte, war nirgends zu sehen.

»Bleib brav hier sitzen, Paddington! Ich suche rasch Judy«, sagte Mrs Brown.

Paddington setzte sich auf seinen Koffer und sah sehr traurig aus. »Ich weiß nicht, ob mir besser wird«, sagte er, »aber ich will mein Bestes tun.«

»Und ich mache, so schnell ich nur kann«, tröstete ihn Mrs Brown. »Wir nehmen dann ein Taxi und fahren nach Hause.«

Der kleine Bär stöhnte.

»Du Armer!«, seufzte Mrs Brown. »Es scheint dir wirklich schlecht zu gehen. Du magst wohl auch noch nicht ans Mittagessen denken?« Bei dem Wort Mittagessen stöhnte Paddington noch lauter. Mrs Brown machte sich schnell auf die Suche nach Judy.

Paddington hielt eine Weile die Augen geschlossen. Als er sich etwas besser fühlte, spürte er ab und zu einen Hauch frischer Luft. Vorsichtig machte er ein Auge auf, um zu sehen, woher der Luftzug kam. Als er entdeckte, dass er nahe am Hauptausgang des Geschäftes saß, machte er auch das zweite Auge auf. Wenn er sich draußen neben die Glastür setzte, konnten Mrs Brown und Judy ihn nicht verfehlen.

Aber als er sich bückte, um seinen Koffer aufzuheben, wurde es ihm plötzlich dunkel vor den Augen.

Oje!, dachte Paddington. Jetzt ist's wirklich aus mit mir!

Mühsam tastete er sich zur Tür. Dort, wo er die Tür vermutete, war eine Wand. Er tastete sich ein bisschen weiter und drückte woanders. Diesmal bewegte sich etwas. Die Tür schien schwer aufzugehen. Paddington musste heftig drücken. Als er die Tür ein wenig geöffnet hatte, zwängte er sich hindurch. Aber auch hier war es dunkel. Ach, wäre er doch geblieben, wo ihn Mrs Brown zurückgelassen hatte!

Er drehte sich und versuchte, die Tür wiederzufinden. Aber die war einfach weg. Paddington ließ sich auf seine vier Pfoten nieder und krabbelte voran.

Langsam kam er vorwärts. Auf einmal stieß er mit dem Kopf gegen etwas Hartes. Er wollte es mit der

Pfote beiseiteschieben, und da bewegte es sich ein wenig. Er schob noch einmal.

Da gab es einen ohrenbetäubenden Lärm. Noch ehe er herausfinden konnte, was es war, fiel ein Berg von Schüsseln, Töpfen, Tassen und Tellern über ihn. Dem armen Paddington war es, als sei der ganze Himmel eingestürzt. Dann wurde es still. Der kleine Bär blieb einen Augenblick regungslos liegen. Er hielt die Augen

geschlossen, kaum wagte er zu atmen. Von weither drangen Stimmen zu ihm, und ein- oder zweimal hörte es sich an, als klopfte jemand an ein Fenster. Vorsichtig machte Paddington erst ein Auge auf und dann das zweite. Zu seinem Erstaunen entdeckte er, dass die

Lichter alle wieder angegangen waren. Und jetzt wusste er, was mit ihm geschehen war. Die Lichter waren überhaupt nie aus gewesen! Nur seine Kapuze war ihm über das Gesicht gerutscht, als er sich im Laden nach seinem Koffer gebückt hatte. Deshalb war es so dunkel geworden.

Paddington setzte sich auf und schaute sich um. Wo war er nur? Verblüfft stellte er fest, dass er in einem kleinen Raum mitten zwischen lauter Töpfen, Pfannen, Krügen und Eimern saß. Er rieb sich die Augen und betrachtete seine Umgebung.

Hinter ihm war eine kleine Tür und vor sich hatte er ein großes Fenster. Auf der anderen Seite dieses riesigen Fensters war eine Menschenmenge versammelt. Die Leute stießen einander an und schauten alle zu ihm herein.

Mühsam stand er auf. Es war gar nicht so leicht, sich auf einem Stapel Blechbüchsen und Geschirr aufrecht zu halten. Paddington griff nach seiner Mütze. Die Menschen draußen lachten. Paddington verbeugte sich und winkte. Dann begann er, den Schaden, den er angerichtet hatte, eingehend zu prüfen. Er wusste immer noch nicht recht, wo er war. Aber dann wurde es ihm plötzlich klar. Statt der großen Ladentür musste er die Tür zu einem der Schaufenster geöffnet haben.

»Oje«, sagte er zu sich selbst, »da bin ich aber in einer verzwickten Lage.« Wenn er alle diese Sachen umgeworfen hatte, dann war gewiss irgendjemand wütend auf ihn. Sicher war es nicht leicht, diesem Jemand die Sache mit der Kapuze begreiflich zu machen. Schließlich war ja nur die Kapuze an dem ganzen Unglück schuld.

Paddington bückte sich und fing an, das Schaufenster aufzuräumen. Langsam wurde ihm warm dabei. Er zog seinen Mantel aus und hängte ihn an einen Nagel. Dann hob er eine von den Glasplatten auf, die auf den Boden gerutscht waren, und versuchte, sie auf einen der Blecheimer zu schieben. Es schien gut zu gehen. Paddington nahm einen zweiten Blecheimer und noch eine Spülschüssel und stellte beides auf die Glasplatte. Das Ganze war eine ziemlich wackelige Angelegenheit. Er stellte sich davor, um sein Werk zu betrachten: Es sah gar nicht so übel aus!

Von draußen hörte er Zurufe, Lachen und Klatschen. Paddington winkte den Leuten zu und schob eine weitere Platte hinauf.

Unterdessen führte Mrs Brown ein ernstes Gespräch mit dem Hausdetektiv.

»Sie meinen also, Sie hätten den kleinen Bären hier zurückgelassen?«, fragte der Detektiv.

»Ganz richtig«, erwiderte Mrs Brown. »Ihm war nicht gut, und ich habe ihn ermahnt, nicht wegzulaufen. Er heißt Paddington.«

»Paddington«, schrieb der Mann in sein Notizbuch. »Was für ein Bär ist es, das heißt, welche Farbe hat sein Fell?«

»Ich möchte fast sagen, eine goldene Farbe«, überlegte Mrs Brown. »Er trägt einen blauen Mantel und hat einen kleinen Koffer bei sich.«

»Und er hat schwarze Ohren«, fügte Judy hinzu. »Man kann ihn unmöglich verwechseln.«

»Schwarze Ohren«, schrieb der Detektiv.

»Das wird Ihnen, glaube ich, weniger helfen«, warf Mrs Brown dazwischen. »Er trägt ja eine Mütze.«

Der Detektiv hielt eine Hand hinter sein Ohr: »Eine was?«, fragte er mit lauter Stimme, denn gerade in diesem Augenblick kam von irgendwoher ein ganz entsetzlicher Lärm. Ab und zu tönte es wie Klatschen und man hörte Leute jubeln.

»Eine Mütze«, sagte Mrs Brown. »Eine aus grüner Wolle, die ihm bis über die Ohren reicht. Mit einem Bommel obendrauf.«

Der Detektiv klappte sein Notizbuch zu. Der Lärm draußen nahm immer mehr zu.

»Entschuldigen Sie mich bitte«, sagte er. »Da muss

irgendetwas vor sich gehen; ich muss die Sache untersuchen.«

Mrs Brown und Judy sahen einander an. Sie hatten beide den gleichen Gedanken. Beide sagten: »Paddington«, und liefen hinter dem Mann her. Mrs Brown hielt sich an der Jacke des Detektivs fest und Judy am Mantel ihrer Mutter. So bahnten sie sich einen Weg durch die Menschen.

Als sie an dem großen Schaufenster vorbeikamen, brauste gerade neuer Beifall auf und wildes Gelächter ertönte.

»Paddington!!! Das hätte ich mir doch denken können«, rief Mrs Brown entsetzt.

Der kleine Bär hatte eine Pyramide aus Tellern, Büchsen, Schüsseln und Tassen gebaut. Wenigstens sollte es eine Pyramide werden. Aber als er auf die Pyramide stieg, um noch eine Tasse auf den Turm zu stellen, wurde die Sache schwierig. Wie sollte er von diesem Turm wieder herunterkommen? Er streckte seine Pfote aus. Sofort fing die Pyramide an zu wackeln. Hilflos saß der kleine Bär oben und klammerte sich an der großen Blechbüchse fest. Und plötzlich fiel der ganze Turm in sich zusammen.

Die Zuschauer waren begeistert. »Das Beste, was ich seit Jahren gesehen habe!«, sagte ein Mann zu Mrs

Brown. »Die lassen sich etwas einfallen in der Werbung!«

»Macht er das noch mal, Mama?«, fragte ein kleiner Junge.

»Ich glaube nicht, Bill«, antwortete seine Mutter. »Ich nehme an, dass er nun Feierabend hat.«

Sie zeigte zum Schaufenster, wo der Detektiv gerade den kleinen Bären hochhob und aus dem Schaufenster schaffte.

Mrs Brown hastete zum Eingang zurück. Judy folgte ihr. In der Eingangshalle stand der Detektiv, blickte streng auf Paddington und dann in sein Notizbuch:

»Blauer Mantel«, murmelte er, »grüne Wollmütze!« Er zog dem Bären die Mütze vom Kopf. »Schwarze Ohren? Stimmt! Dann bist du also Paddington«, sagte er grimmig.

Der kleine Bär fiel beinah auf den Rücken. »Woher wissen Sie meinen Namen?«, fragte er staunend.

»Ich bin Detektiv«, antwortete der Mann. »Es ist meine Aufgabe, so etwas herauszufinden. Wir sind immer auf der Suche nach Verbrechern.«

»Aber ich bin doch gar kein Verbrecher!«, schrie Paddington. »Ich bin nur ein kleiner Bär und habe das Schaufenster aufräumen wollen …«

»Das Schaufenster aufräumen wollen?«, rief der Detektiv. »Ich weiß nicht, was Mr Lucas dazu sagen wird.«

Paddington fühlte sich unbehaglich. Mr Lucas, das war wohl so etwas wie der Stationsvorstand. Zum Glück entdeckte er Mrs Brown und Judy, die auf ihn zurannten. Es kamen aber noch mehr Leute. Auch ein Mann in einer schwarzen Jacke und gestreiften Hosen, der sehr würdig aussah.

Sie alle kamen zu gleicher Zeit bei Paddington an und sprachen wild durcheinander.

Der kleine Bär setzte sich auf seinen Koffer und schwieg. Es gab Augenblicke, da sagte man besser gar nichts.

Schließlich war es der »würdige Herr«, der die anderen übertönte, denn er hatte die lauteste Stimme. Er beugte sich zu Paddington herunter, ergriff seine rechte Pfote und schüttelte sie heftig.

»Herrlich! Großartig! Und vielen Dank, kleiner Bär!«, rief er immer wieder mit dröhnender Stimme.

»Aber wofür denn?«, stotterte Paddington. Er konnte sich das alles gar nicht erklären. Aber dieser Herr schien tatsächlich hocherfreut zu sein. Er wandte sich an Mrs Brown.

»Sie sagten, der kleine Bär heiße Paddington?«

»Ja«, sagte Mrs Brown leise, »aber er hat sich ganz bestimmt nichts Böses dabei gedacht.«

»Böses?« Der Mann mit den gestreiften Hosen lachte schallend. »Sagten Sie Böses? Meine liebe, gute Frau. Das war doch eine glänzende Idee! So viele Menschen standen seit Jahren nicht mehr vor dem großen Schaufenster. Noch nie haben wir so viel verkauft.« Er zeigte zum Ladeneingang. »Schauen Sie nur die vielen Leute, wie sie sich drängen, damit sie hereinkommen. Einfach großartig!«

Mrs Brown sah den Herrn mit den gestreiften Hosen verblüfft an.

»Unsere Firma ist nicht kleinlich, nein, gewiss nicht«, begann der Mann nun von neuem. »Unsere Firma will sich gerne großzügig bedanken, Paddington. Wenn du etwas im Kaufhaus siehst, das dir gefällt, dann sag es mir nur.«

Paddingtons Augen glänzten. Er wusste ganz genau, was er gerne haben wollte. Auf dem Weg hatte er in der Lebensmittelabteilung etwas entdeckt. Es stand in einer Ecke. Das Größte, das er je gesehen hatte! Fast so groß wie er selbst …

»Bitte«, sagte der kleine Bär, »ich hätte gern eins von diesen Marmeladengläsern, eins von den ganz großen.«

Wenn der Betriebsleiter des Kaufhauses sich wunderte, so zeigte er es jedenfalls nicht. »Aber«, sagte er, »aber selbstverständlich sollst du dein Marmeladenglas bekommen.« Er ging zum Aufzug und drückte auf den Knopf.

»Ich glaube«, flüsterte ihm Paddington beklommen zu, »wenn es Ihnen nichts ausmacht, möchte ich lieber laufen. Ich fahre nämlich nicht gerne Aufzug.«

Paddington malt

Jetzt gehörte Paddington richtig zur Familie Brown. Niemand konnte sich das Leben mehr ohne den kleinen Bären vorstellen, nicht einmal Mrs Bird.

Die Browns wohnten in der Nähe der Portobello Road. Dort war immer großer Markt. Wenn Mrs Brown im Haus viel Arbeit hatte, schickte sie den kleinen Bären einkaufen. Mr Brown hatte ihm aus einem alten Korb und vier Rädern ein kleines Wägelchen gebastelt.

Mit diesem Wägelchen ging Paddington einkaufen. Und da er ein freundlicher kleiner Bär war, kannten ihn bald alle Leute auf dem Markt. Und alle hatten den kleinen Bären gern.

»Paddington bekommt auf dem Markt mehr für sein Geld als ich!«, sagte Mrs Bird. »Wie machst du das bloß? Du schaust die Verkäufer sicher mit deinen braunen Kugelaugen ganz lieb an.«

»Nein«, sagte Paddington beleidigt, »ganz und gar nicht. Ich bin nur sehr geschäftstüchtig.«

»Schon recht«, sagte Mrs Bird, »auf alle Fälle bist du mir Gold wert.«

Diese Worte verstand der kleine Bär nicht. Ich bin Mrs Bird Gold wert? Was sollte das heißen? Er beschloss, seinen Freund in der Portobello Road zu fragen.

Die Portobello Road liebte Paddington über alles. Da gab es viele Geschäfte mit großen Schaufenstern. Daran konnte man seine Nase platt drücken und schöne Sachen ansehen.

Unter allen Geschäften war ihm der Laden von Mr Gruber der liebste. Das Schaufenster war so niedrig, dass Paddington bequem hineinschauen konnte. Hier musste er sich nicht auf die Zehenspitzen stellen. Mr Grubers Schaufenster war voll schöner Dinge. Da gab es ein Bild eines großen Segelschiffes in einem schrecklichen Sturm, einen alten, hohen Stuhl, auf dem man herumklettern konnte, große Silbermünzen mit einer Königin und einem König darauf, einen Spiegel, in dem Paddington sich anschauen konnte, einen Vogelkäfig aus Messing, der Judy sicher gefallen würde ...

Ach, so viele schöne Sachen standen da herum, die man gerne haben wollte. Mr Gruber saß meistens in einem alten Korbstuhl vor seinem Laden, streckte die Beine von sich und schlief.

Wenn Kunden kamen, fuhr er blitzschnell aus seinem Korbstuhl hoch.

»Ach, du bist es nur!«, sagte Mr Gruber immer, wenn er den kleinen Bären vor dem Schaufenster sah. Mr Gruber mochte Paddington sehr. Manchmal, wenn Mr Gruber nicht schläfrig war, plauderte er mit dem kleinen Bären. Und worüber redeten die beiden? Über Peru natürlich, denn Mr Gruber war als junger Mann einmal in diesem fernen Land gewesen. Wenn Mr Gruber noch nicht gefrühstückt hatte, durfte Paddington mit ihm am Tisch sitzen. Dann gab es Kuchen und Kakao. Das war ein richtiges Frühstück für einen kleinen Bären.

So kam es, dass Paddington sehr oft bei Mr Gruber saß. Alle Leute wunderten sich, dass der alte Herr mit einem kleinen Bären so viel redete. Denn was kann man schon mit einem kleinen Bären reden? Aber das wusste Mr Gruber viel besser. Er hörte nicht auf das Gerede der Leute.

Eines Tages brachte der kleine Bär sieben peruanische Münzen mit. Er dachte: Vielleicht sind diese Münzen viel wert, dann kann ich sie verkaufen. Schon lange wollte er für Mr und Mrs Brown und Judy ein Geschenk kaufen. Von Mr Brown bekam Paddington jede Woche einen Schilling als Taschengeld, aber davon blieb nie viel übrig, weil er Kuchen kaufte.

Mr Gruber wollte die sieben peruanischen Münzen nicht haben, obwohl sie so schön glänzten.

»Es sind nicht immer die schönen Dinge, die viel Geld einbringen«, sagte er. An einer kleinen Kommode zog er eine Schublade heraus und nahm aus einer kleinen Schachtel ein paar alte, gelbe Münzen. Die waren nicht einmal richtig rund und sahen schmutzig aus.

»Siehst du«, sagte der Händler, »diese Münzen glänzen gar nicht, aber sie sind eine Menge Geld wert.«

Er legte Paddington eine Münze auf die Pfote.

»Ist die aber schwer«, meinte der kleine Bär.

»Die ist aus purem Gold. Ein Mann hat sie aus dem Bauch eines alten Schiffs heraufgeholt, das vor vielen, vielen Jahren untergegangen ist.«

Als Mr Gruber »Gold« sagte, fiel Paddington plötzlich ein, was Mrs Bird gesagt hatte.

»Du bist mir Gold wert«, hatte sie doch gesagt. Und nun strahlte Paddington übers ganze Gesicht.

Kaum war er wieder zu Hause angekommen, rannte er ins Badezimmer und stellte sich auf die Waage. Der Zeiger schlug aus und blieb auf der Ziffer acht stehen.

»Acht Kilo!«, rief der kleine Bär immer wieder. »Acht Kilo!«

Am andern Tag war Paddington schon früh im Laden von Mr Gruber. Er hatte einen Zettel, auf dem Zahlen hingekritzelt waren, mitgebracht. Der Händler betrachtete lange das Blatt.

»Diese Rechnung verstehe ich gar nicht«, sagte er nach einer Weile.

Ach, sind doch große Leute dumm!, dachte der kleine Bär.

»Ich will es Ihnen erklären«, sagte er schließlich. »Also, ich wiege genau acht Kilo. Sie haben gesagt, dass man für ein Kilo Gold vierhundert Pfund bekommt, dann bin ich also dreitausendzweihundert Pfund wert.«

Paddington schaute Mr Gruber mit großen Augen an. Aber der setzte sich nur in seinen Korbsessel und schnaufte ein paar Mal ganz tief. Dann begann er plötzlich zu lachen.

Was ist denn daran so lustig?, dachte der kleine Bär.

»Lieber Paddington«, sagte Mr Gruber. »Ich zweifle gar nicht daran, dass du dreitausendzweihundert Pfund wert bist, vielleicht noch viel mehr.« Er zwinkerte mit den Augen. »Das weiß ich, das weiß auch Judy, das wissen auch Mr und Mrs Brown, und Mrs Bird weiß es natürlich auch. Aber wissen es auch die anderen Leute?«

Mr Gruber blickte den kleinen Bären über seine Brille hinweg an. »Der äußere Schein trügt oft in dieser Welt«, murmelte er.

Auch Paddington seufzte. »Schade«, sagte er. »Es wäre doch schön, wenn man einer Sache ansieht, was sie wert ist.«

Mr Gruber nickte nachdenklich; dann zog er den kleinen Bären mit sich in den Laden.

»Setz dich«, sagte er und verschwand hinter einem Vorhang. Als er zurückkam, trug er ein großes Bild unter dem Arm. Paddington betrachtete es. Ein Segelschiff war darauf, jedenfalls auf der einen Hälfte. Aus der andern Hälfte des Bildes blickte eine Frau mit einem Hut hervor.

»Schau dir dieses Bild einmal an!«, meinte Mr Gruber.

Paddington nahm das Bild fest in beide Pfoten und betrachtete es lange. »Das ist gar kein richtiges Bild«, sagte er schließlich. »Auf der einen Seite ein halbes Segelschiff und auf der anderen Seite eine halbe Dame.«

»Siehst du!«, rief Mr Gruber. »Diesem Bild sieht man auch nicht an, was es wert ist, nicht einmal, was darauf gemalt ist. Aber warte nur, bis ich es ganz abgewaschen habe. Vor vielen Jahren habe ich es für ein paar Schilling gekauft. Damals war bloß ein Segelschiff darauf zu sehen. Als ich das Bild mit einem nassen Tuch abgewischt habe, ging plötzlich die Farbe weg. Zum Vorschein kam diese Frau mit dem Hut.«

Plötzlich redete Mr Gruber ganz leise. »Niemand weiß von meiner Entdeckung. Und ich glaube, das

Bild mit der Dame ist sehr wertvoll. Vielleicht ist es ein ›alter Meister‹.«

»Alter Meister?«, fragte Paddington. »Was ist das?«

»Das sind berühmte Maler, die früher wertvolle Bilder gemalt haben.«

»Das klingt aufregend und sehr schwierig«, seufzte Paddington.

Mr Gruber sprach noch eine ganze Weile über Bilder und »alte Meister«, denn über Bilder sprach er gar zu gern.

Paddington hörte ihm aufmerksam zu. Als sein Blick auf die große Uhr fiel, sprang er auf und rief: »Jetzt komme ich zu spät zum Mittagessen!« Und schon war er zur Tür hinaus.

Nach dem Mittagessen ging der kleine Bär gleich in sein Zimmer, legte sich eine Weile aufs Bett und starrte an die Decke. Er dachte so angestrengt nach, dass er es gar nicht merkte, als Mrs Bird ins Zimmer schaute.

»Bist du krank, Paddington?«, fragte sie.

»O ja, vielen Dank. Ich muss nämlich nachdenken«, rief Paddington.

Mrs Bird schüttelte den Kopf und ging hinaus. Sie stieg die Treppen hinunter, um allen zu erzählen, wie merkwürdig der kleine Bär sei und was er gesagt hatte.

»Wenn er nur einfach *nachdenkt,* macht es ja nichts«, meinte Mrs Brown. »Gefährlich wird es erst, wenn er sich etwas *ausdenkt.*«

Aber da sie mitten in der Hausarbeit war, vergaß sie die Sache bald. Sie war auch viel zu beschäftigt, um den kleinen Bären zu bemerken, der kurz darauf zu Mr Browns Arbeitszimmer schlich. Wenn sie gesehen hätten, wie Paddington auf Zehenspitzen in das Arbeitszimmer schlüpfte und vorsichtig die Tür hinter sich zumachte, dann hätte sie gewiss keine ruhige Minute mehr gehabt. Aber niemand kam ins Arbeitszimmer! Glücklicherweise!

Ach, hätte Paddington doch besser zugehört, als Mr Gruber ihm von der Reinigung der Bilder erzählte! Obwohl er bereits die halbe Flasche Farbentferner verbraucht hatte, war das Bild, das Mr Brown gemalt hatte, nur fleckenweise verwischt. Und schlimmer noch: Dort, wo die Farbe tatsächlich weg war, dort war nichts anderes zu sehen als schmutzige Leinwand. Kein Bild war darunter, kein »alter Meister«! Paddington stand da und betrachtete sein »Werk«. Ursprünglich war auf dem Bild ein See gemalt, ein spiegelblanker See und blauer Himmel darüber. Nun sah alles aus wie ein vom Sturm gepeitschtes Meer. Die Boote waren verschwunden, der Himmel war nicht mehr blau, sondern grau, und die Hälfte des Sees war ebenfalls weg.

Wie gut, dass ich auch Farbtuben gefunden habe, dachte Paddington. In der rechten Pfote hielt er einen Pinsel, in der linken eine Palette. Er hatte einen ganzen Kasten voller roter, grüner, gelber und blauer Farbtuben gefunden. Aber welche sollte er benutzen? Er überlegte. Endlich beschloss er, von jeder Farbe etwas zu nehmen. Er fuhr mit dem Pinsel in den Farben herum und tupfte sie auf die Leinwand. Das machte Spaß. Aber es war schwer, ziemlich schwer sogar. Als Paddington sein Werk später betrachtete, musste er zugeben, dass es mit dem Bild, das Mr Brown gemalt hatte, nicht das

Geringste zu tun hatte. Enttäuscht packte er die Farben wieder weg und tat das Bild in seine Hülle zurück. Er beschloss, es später noch einmal zu versuchen. Vielleicht gelang es ihm dann besser. Jetzt war er zu müde. Malen war doch eine sehr schwierige Sache!

Beim Abendessen war Paddington sehr still. Mrs Brown fragte ihn mehrmals, ob er krank sei.

»Nein«, sagte Paddington, »ich bin nur müde.«

»Hoffentlich fehlt ihm nichts, Henry«, sagte Mrs Brown, als Paddington gegangen war. »Er hat kaum etwas gegessen und dann hatte er so merkwürdige rote Flecken im Gesicht.«

»Rote Flecken!«, rief Jonathan. »Vielleicht hat er die Masern. Hoffentlich hat er mich angesteckt. Dann muss ich nicht in die Schule.«

»Merkwürdig«, sagte Judy. »Ich habe grüne Flecken gesehen!«

»Grüne?« Mr Brown machte ein besorgtes Gesicht. »Er wird doch nicht krank werden! Wenn die Flecken bis morgen nicht verschwunden sind, lasse ich den Arzt kommen.«

»Ach, und er wollte doch mit zur Bilderausstellung!«, murmelte Mrs Brown. »Es wäre wirklich traurig, wenn er im Bett bleiben müsste.«

»Glaubst du, Papa, dass du diesmal einen Preis bekommst für dein Bild?«, fragte Jonathan.

»Niemand würde sich mehr wundern als dein Vater«, meinte Mrs Brown. »Bis jetzt hat er noch nie einen Preis bekommen.«

»Was ist es denn für ein Bild, Papa? Willst du es uns nicht zeigen?«, fragte Judy.

»Es ist eine Überraschung«, antwortete Mr Brown bescheiden. »Ich habe lange daran gearbeitet.«

Malen war sein Steckenpferd. Jedes Jahr gab er ein Bild in die Ausstellung. Ganz berühmte Leute kamen, um sich die Bilder anzusehen, und es gab mehrere Preise. Aber noch nie hatte Mr Brown einen Preis gewonnen. Seine Frau hatte für ihre Webarbeiten sogar schon zwei bekommen.

Am nächsten Tag schien die Sonne und die Ausstellung war gut besucht. Die ganze Familie war froh, dass Paddington wieder besser aussah. Seine Flecken waren verschwunden. Beim Frühstück sprach er kein Wort, dafür aß er für drei. Nur Mrs Bird machte sich ihre eigenen Gedanken, als sie die roten und grünen Flecken an seinem Handtuch entdeckte. Aber sie behielt ihre Gedanken für sich.

Bei der Preisverteilung nahmen die Browns fünf Plätze in der vordersten Reihe ein. Alle waren gespannt.

Auf der Bühne saßen einige Männer, die eifrig miteinander sprachen. Besonders über ein Bild schienen sie zu reden.

»Henry«, flüsterte Mrs Brown aufgeregt, »ich glaube, sie reden über dein Bild. Ich erkenne doch die Segeltuchhülle.«

Mr Brown schüttelte den Kopf. »Das kann nicht sein«, murmelte er, »das Bild dort muss noch feucht gewesen sein. Man sieht an der Hülle rote und grüne Farbflecken. Ich habe aber mein Bild schon vor langer Zeit gemalt.«

Paddington saß ganz still da. Er ahnte etwas Schreckliches. Ach, dachte er, hätte ich mir doch die Flecken im Gesicht heute Morgen nicht abgewaschen! Dann läge ich jetzt wenigstens im Bett!

Judy stieß ihn mit dem Ellenbogen an. »Was ist los, Paddington?«, fragte sie. »Du machst so ein seltsames Gesicht. Ist dir etwa schlecht?«

»Nein, das nicht«, seufzte der kleine Bär, »aber ich glaube, ich hab wieder etwas angestellt.«

»Ach so«, flüsterte Judy. »Das ist es also! Na, es wird schon nicht so schlimm sein.«

Der kleine Bär richtete sich auf. Einer der Herren, der mit dem größten Bart, begann zu sprechen. Und da – Paddingtons Knie zitterten –, dort auf der Bühne, für alle sichtbar aufgebaut, stand »sein« Bild.

Der kleine Bär war so erschrocken, dass er nur noch einzelne Worte verstand von dem, was der Mann sagte: »... bemerkenswerte Farbmischung ...« – »Sehr ungewöhnlich ...« – »... Großartiger Einfall ...« – »Ein Verdienst des Künstlers ...«

Paddington sauste es in den Ohren und dann fiel er fast vom Stuhl.

»Der Gewinner des ersten Preises ist Mr Henry Brown, Windsor-Park 32.«

Paddington war nicht der Einzige, der sich wunderte. Mr Brown, den man auf die Bühne holte, machte ein Gesicht, als hätte eben der Blitz neben ihm eingeschlagen.

»Aber ...«, stotterte er, »das muss ein Irrtum sein!«

»Ein Irrtum?«, rief der Mann mit dem Bart. »Keine Spur! Sie sind doch Mr Brown? Mr Henry Brown!«

Mr Brown starrte auf das Bild. »Ja, das ist mein Name, der dort steht, aber ...« Er sprach nicht weiter und sah ins Publikum. Plötzlich machte er sich so seine eigenen Gedanken. Aber es war schwer, Paddington in die Augen zu sehen. In solchen Fällen war das immer schwer.

»Ich glaube, stolz, wie ich bin«, sagte Mr Brown, als der Beifall verklungen war und er den Scheck über zehn englische Pfund in Empfang genommen hatte, »stolz, wie ich nun einmal bin, möchte ich den Preis nicht annehmen. Vielmehr will ich ihn einem Altersheim für Bären in Peru stiften.«

Eine Welle des Erstaunens ging durch die Zuschauerreihen. Paddington starrte das Bild an und dann den bärtigen Herrn, der ein ziemlich ratloses Gesicht machte.

»Ich finde«, sagte Paddington, »man hätte das Bild ruhig richtig aufstellen können. Es steht ja auf dem Kopf.«

Im Theater

Familie Brown war in großer Aufregung. Mr Brown hatte Theaterkarten bestellt. Die Hauptrolle wurde von dem weltberühmten Schauspieler Sir Sealy Bloom gespielt. Auch Paddington war ganz aufgeregt. Noch nie war er in einem Theater gewesen.

Er ging mehrmals zu Mr Gruber, um sich alles erklären zu lassen. Der fand es großartig, dass die Browns den kleinen Bären mitnehmen wollten.

»Pass nur auf, da wirst du lauter berühmte Leute sehen!«, meinte er. »Ich glaube nicht, dass es viele Bären gibt, die so etwas erlebt haben.«

»Hoffentlich ist es ein schönes Stück«, sagte Mrs Brown zu Mrs Bird.

»Paddington ist immer traurig, wenn nichts los ist. Er liebt das Neue!«, sagte Mrs Bird.

»Ja, eben«, meinte Mrs Brown, »das ist es gerade, was mir zu denken gibt.«

Auf dem Weg zum Theater redete Paddington kein Wort. Er presste seine Nase an das Taxifenster und starrte in die Lichter der Straßen und Geschäfte. London war eine herrliche Stadt, fand er. Mr Brown erklärte ihm die wichtigen Gebäude, an denen sie vorbeifuhren. Aber schon waren sie beim Theater. Ein Mann in einer prächtigen Uniform und mit einer großen, grünen Mütze öffnete die Tür zur Eingangshalle. Paddington lüftete seinen Hut. Erstaunt sah er sich um. Die Wände schimmerten wie pures Gold und von der Decke hing ein blitzender Kristallleuchter. Ein roter Teppich lag auf dem Boden. Paddington hielt Judy am Mantel fest. Er hatte Angst, sich unter den vielen Menschen zu verlieren. An der Garderobe legte er seinen Mantel, seinen Hut und sein Köfferchen auf den Tisch.

»Zwei Schilling«, rief die Garderobenfrau und streckte ihm die offene Hand entgegen.

»Zwei Schilling! Da behalte ich meinen Mantel lieber«, sagte Paddington freundlich, nahm Mantel, Hut und Koffer wieder und rannte Judy nach.

Man hörte die Garderobenfrau noch immer schimpfen, als die Browns längst beim Logeneingang waren. Dort stand eine andere Frau und fragte den kleinen Bären freundlich: »Programm, mein Herr, Programm!«

»Ja, bitte«, rief Paddington erfreut und nahm fünf Stück.

»Wünschen Sie einen Kaffee in der Pause?«

Paddingtons Augen glänzten. »O ja, bitte.«

Ist das ein großzügiges Theater!, dachte er.

Der kleine Bär wollte gerade die Loge betreten, als ihn die Frau am Fell zupfte.

»Bitte, das macht zusammen zwölf Schilling«, sagte sie. »Zwei Schilling für jedes Programm und zwei Schilling für den Kaffee.«

Der kleine Bär verzog sein Gesicht. »Was sagen Sie, zwölf Schilling?!!«

Da drehte sich Mr Brown um und drückte der Frau das Geld in die Hand.

»Das stimmt schon, Paddington, aber komm endlich und setz dich!« Mr Brown wollte kein Aufsehen mehr erregen und schob den kleinen Bären in die Loge. Die Frau blickte ihnen misstrauisch nach.

Als Paddington auf seinem Platz saß, schaute er sich um. Das ist ein sehr guter Platz, dachte er, gerade neben der Bühne!

Unten im Parkett waren alle Plätze besetzt. Der kleine Bär beugte sich über die Brüstung und schaute auf die Köpfe der Leute. Alle sahen aus wie am Sonntag und noch viel schöner. Ein paar Leute hatten den kleinen Bären schon bemerkt und beobachteten ihn erstaunt. Paddington winkte ihnen mit beiden Pfoten zu. Die Leute lachten und winkten zurück.

»Wenn du bloß still sitzen könntest!«, flüsterte ihm Mrs Brown zu. »Und den Mantel und den Hut könntest du auch aufhängen.«

Der kleine Bär nahm Mantel und Hut und stieg auf einen Stuhl, weil der Haken so weit oben angebracht war. Judy wollte ihm helfen.

»Pass auf!«, rief Paddington. »In der Tasche sind Marmeladenbrötchen.«

Judy ließ den Mantel nur für einen Augenblick los, er fiel auf die Brüstung, aber ein Marmeladenbrötchen rutschte aus der Tasche und fiel hinunter ins Parkett.

»Oh …!«, war alles, was Judy noch herausbrachte.

»Das Marmeladenbrötchen ist dem Herrn mit der Glatze auf den Kopf gefallen«, sagte Jonathan. Paddington spähte vorsichtig über die Brüstung. Alle Leute starrten empört zur Loge der Familie Brown hinauf. Paddington sah nur das zornrote Gesicht des Mannes mit der Glatze, der sich mit einem Taschentuch den Kopf abwischte.

»Oh, Paddington, warum musst du auch Marmeladenbrötchen mit ins Theater nehmen!«, rief Mrs Brown.

»Macht gar nichts«, sagte der kleine Bär, »es ist ja nur eines heruntergefallen. In der anderen Tasche ist noch ein anderes Marmeladenbrötchen ... Falls jemand Hunger hat ...«, fügte er hinzu. »Es ist zwar ein bisschen breitgedrückt. Ich habe mich im Taxi aus Versehen draufgesetzt.«

»Was erzählt ihr denn da immer von Marmeladenbrötchen?«, fragte Mr Brown. »Und was hat bloß dieser Herr dort unten? Eben drohte er uns mit der Faust.«

»Nichts, gar nichts«, sagte Mrs Brown rasch. Ihr Mann hatte wohl gar nicht bemerkt, dass dem zornigen Herrn ein Marmeladenbrötchen auf den Kopf gefallen war.

Unterdessen hatte der kleine Bär etwas anderes entdeckt, ein kleines Wandkästchen. Auf dem stand zu lesen: OPERNGLAS – EIN SCHILLING. Paddington überlegte lange hin und her, dann öffnete er sein Köfferchen und nahm einen Schilling aus dem Geheimfach.

Schon hatte er das Opernglas zwischen den Pfoten und betrachtete die Leute. »Oh, das taugt aber nicht viel«, brummte er ärgerlich, nachdem er die Leute durch sein Opernglas betrachtet hatte. »Alle sehen ja viel kleiner aus als in Wirklichkeit.«

»Du hältst eben das Glas verkehrt herum«, lachte Jonathan.

Paddington drehte das Opernglas um und meinte dann: »Auch so bin ich nicht sehr begeistert davon. Wenn ich das gewusst hätte, dann hätte ich das Ding nicht gekauft, aber vielleicht ist es mir später einmal nützlich.«

Inzwischen war es im Zuschauerraum dunkel geworden. Die Musik begann zu spielen. Langsam öffnete sich der große Vorhang. Paddington blickte auf die hell erleuchtete Bühne. Ein Wohnzimmer mit einem Tisch und Stühlen war zu sehen. Ein Herr mit einem Bart ging auf und ab und begann zu reden. Er beklagte sich über seine Tochter ...

Judy gab Paddington einen Stoß in die Seite: »Du darfst das Opernglas doch nicht behalten! Nach der Vorstellung musst du es der Garderobenfrau wieder zurückgeben.«

»Was?«, rief Paddington laut. »Zurückgeben?«

»Pst!«, tönte es von allen Seiten und auch der bärtige Herr auf der Bühne schien Paddingtons Stimme gehört zu haben. Jedenfalls schaute er ärgerlich zur Loge der Familie Brown hinüber.

»Willst du sagen, dass ...« Dem kleinen Bären blieben vor Ärger fast die Worte weg. »Ein Schilling!«, brummte er zornig. »Das sind drei Stück Kuchen!«

Er schaute wieder auf die Bühne und bald hatte Paddington seinen Schilling vergessen. Aufgeregt sah er zu, was der Mann mit dem Bart auf der Bühne tat. Er betrachtete den Schauspieler durch sein Opernglas und spitzte die Ohren. Nein, dieser Mann gefiel ihm nicht! Wie konnte ein Vater nur seine Tochter verstoßen? Das durfte nicht sein. Warum sagte niemand etwas?

Als der Vorhang gefallen war, legte Paddington sein Opernglas auf die Brüstung und kletterte vom Stuhl.

»Gefällt dir das Stück, Paddington?«, fragte ihn Mr Brown.

Der kleine Bär schaute stumm vor sich hin und gab keine Antwort. Es schien, als würde er angestrengt über etwas Wichtiges nachdenken.

Als er zur Tür der Loge ging, fragte Mrs Brown: »Wohin gehst du denn, Paddington?«

»Ich muss nur ein bisschen Luft schnappen«, sagte der kleine Bär.

»Gut, aber bleib nicht zu lange fort, es geht gleich weiter!«

»Lass ihn doch, Mary!«, meinte Mr Brown. »Wahrscheinlich muss er an ein gewisses Örtchen.«

Aber Paddington ging weder an die frische Luft noch an ein gewisses Örtchen. Er lief den Gang entlang und dann die Treppe hinunter bis zu jener Tür, wo ein Schild hing: »Eintritt verboten. Zutritt nur für das Bühnenpersonal.«

Paddington öffnete die Tür. Ein Geruch wie aus einer Schreinerwerkstatt schlug ihm entgegen. Er schnupperte. Es roch nach Leim, frischer Farbe und Holz. Hier gab es keinen roten Teppich mehr und keine goldenen Tapeten. Es war stockfinster. Paddington hörte Stimmen, ein Knirschen und Poltern. Mit seiner Schnauze stieß er gegen ein Seil, das von der Decke baumelte. Endlich wurde es ein bisschen heller. Männer in blauen Arbeitsanzügen rannten vorbei, eine Schauspielerin schlüpfte im Gehen aus dem Mantel, alle schienen es eilig zu haben und beachteten ihn nicht. Aber dort drüben kniete ein Mann am Boden und nagelte gerade ein Stück Leinwand auf einen Holzrahmen. Paddington ging auf ihn zu.

»Entschuldigung, können Sie mir sagen, wo der Herr mit dem Bart ist, der eben auf der Bühne stand?«

Der Mann im blauen Arbeitsanzug drehte sich um und brummte: »Was für ein Mann? Scher dich weg, ich habe zu tun!«

»Aber ich möchte den Herrn mit dem Bart sprechen!«

»So, den möchtest du sprechen. Der heißt Mr Bloom. Geh da geradeaus und dann links, dort sind Garderoben.«

Paddington ging geradeaus, dann links und stieß mit einem Mann zusammen.

»He!«, schrie der. »Steh mir nicht im Weg herum!« Und als er den kleinen Bären richtig sah: »Wer hat denn dich hereingelassen? Zuschauer haben hier nichts zu suchen. Das ist verboten!« Und schon war der Mann verschwunden.

Paddington wusste nicht recht, ob er jetzt wieder links oder rechts gehen sollte. Vor ihm stand eine riesige, bemalte Leinwand. Von oben schwebte ein Brett herunter. Rote Lampen leuchteten auf. Eine grüne erlosch. Plötzlich ertönte eine Glocke. Man hörte Gemurmel und Klatschen. Auch ein paar Pfiffe waren zu hören.

Wo bin ich nur hingeraten?, dachte Paddington. Aber zum Nachdenken blieb ihm keine Zeit mehr.

Auf einmal rannte der Mann mit dem Bart aufgeregt an ihm vorbei, aber so rasch, dass er ihn nicht ansprechen konnte. Ihm folgte ein junges Mädchen in einem roten Kleid. Die Musik begann zu spielen und ein heftiger Luftzug wehte Paddington um die Nase. Vor ihm wurde es plötzlich taghell. Der kleine Bär kroch auf allen vieren vorsichtig voran bis zum hell erleuchteten Raum, aber da stand der Herr mit dem Bart und neben ihm stand das Mädchen mit dem roten Rock und weinte.

Da packte den kleinen Bären eine Faust am Genick und hob ihn empor.

»Hab ich dich endlich!«, rief eine tiefe Stimme zornig.

Die harte Faust gehörte dem Mann in dem blauen Arbeitsanzug.

»Hab ich dir nicht gesagt, du sollst dich davonscheren! Jetzt übergeb ich dich der Polizei. Vor dem Theater steht ein Polizist.«

Paddington bekam Angst und sein Fell sträubte sich. Der Griff im Nacken wurde immer fester. Paddington strampelte. »Mit dir werde ich schon fertig!«, wollte der Mann im blauen Anzug gerade sagen, aber dann schrie er: »Aua!«

Paddington hatte ihn in den Arm gebissen. Der Mann ließ ihn los und der kleine Bär fiel zu Boden. Blitzschnell kroch er hinter eine Kulisse, rappelte sich auf und rannte im Dunkeln davon. Zuerst den engen Gang entlang und dann eine Treppe hinunter. Er hörte den Mann im blauen Anzug fluchen.

Paddington rannte und rannte. Er hörte schwere Schritte hinter sich. Da, eine kleine Türe! Er öffnete sie zaghaft. Er sah einen Mann, der neben einer großen Pauke saß, eine Basstrompete ... Das war ja das Orchester!

Blitzschnell schloss Paddington die Tür. Wohin sollte er sich flüchten? Und dann entdeckte er einen kleinen Durchschlupf. Der war so eng, dass der dicke Mann ihm gewiss nicht folgen konnte. Eine Leiter führte hinauf. Vorsichtig stieg Paddington die Leiter hoch. Bumms! Jetzt hatte er seinen Kopf angestoßen. Da stand ein Stuhl. Er kletterte hinauf. Und plötzlich war es wieder ganz hell.

Durch ein halbrundes Fenster kam das Licht herein. Paddington blinzelte ins Licht. Was war denn das? Das waren ja die Beine von dem Mann mit dem Bart und von dem Mädchen mit dem roten Rock. Paddington streckte sich. Nun konnte er das Gesicht des Schauspielers sehen. Paddington fand, dass dies ein noch besserer Platz sei. Man konnte von hier aus den Schauspieler auch besser verstehen.

Aber was war unterdessen in der Loge der Browns geschehen?

Als die Glocke das Ende der Pause anzeigte, war Mrs Brown unruhig geworden.

»Wo Paddington nur bleibt?«, sagte sie zu Judy.

»Er verpasst noch den Anfang des zweiten Aktes«, meinte Mr Brown.

Nun saß die ganze Familie wieder auf ihren Plätzen, nur der Stuhl von Paddington war leer.

»Mich nimmt wunder, was dies wieder zu bedeuten hat!«, flüsterte Mrs Brown ihrem Mann zu. »Es muss Paddington etwas zugestoßen sein.«

»Ich kann es mir auch nicht erklären«, gab Mr Brown zurück und setzte sich in seinem Stuhl zurecht.

Im Zuschauerraum wurde es dunkel. Der Vorhang öffnete sich. Mr Bloom stand wieder auf der Bühne und begann zu sprechen.

»Hoffentlich wird's etwas spannender als im ersten Akt«, meinte Jonathan, aber da hatte er sich getäuscht. Die Zuschauer husteten und raschelten mit den Bonbontüten, so langweilig war das Stück.

Das Mädchen mit dem roten Rock, die Tochter des Mannes mit dem Bart, stotterte. Das Publikum begann zu pfeifen.

Paddington stand im Souffleurkasten und sah genau zu. Der Vater muss sich mit seiner Tochter versöhnen, dachte er, vielleicht muss man es ihm nur sagen. Hier war er ja nahe genug an der Bühne, so dass der Mann mit dem Bart ihn verstehen konnte. Gerade wollte er ihm etwas zurufen, da hörte er unten an der Leiter ein Geräusch und gleich darauf die tiefe Stimme des Bühnenarbeiters.

»Hab ich dich!«, zischte es von unten. »Hat sich der Kerl im Souffleurkasten versteckt!«

Paddington sah unten an der Leiter den Kopf des dicken Mannes. Er sah den ausgestreckten, kräftigen Arm, der immer näher kam. Schon wollte ihn der Mann am Bein packen, da kroch der kleine Bär in seiner Angst aus dem Souffleurkasten hinaus und stand genau vor dem bärtigen Herrn und seiner Tochter auf der Bühne.

Dem Schauspieler blieb das Wort in der Kehle stecken, als er plötzlich den kleinen Bären vor sich stehen sah. Auch die junge Schauspielerin starrte entsetzt auf das struppige Tier. Ein Raunen ging durch das Publikum und dann lachten alle Leute und klatschten.

Paddington dachte: Wenn ich schon einmal den Herrn mit dem Bart erwischt habe, dann will ich ihm auch meine Meinung sagen. Deshalb bin ich ja aus der Loge weggegangen.

Das Mädchen mit dem roten Rock streckte erschrocken die Hände aus: »Komm mir nicht zu nahe, Bär!«, schrie sie und klammerte sich an den Herrn mit dem Bart.

»Fort mit dir, Bär!«, sagte der Herr. »Das ist doch unerhört! Woher kommst du?«

»Aus dem dunkelsten Peru«, stotterte Paddington, »und ich möchte Sie bitten, sich mit Ihrer Tochter wieder zu versöhnen.«

Da brauste aus dem Zuschauerraum Beifall auf. Man lachte und klatschte.

Der kleine Bär drehte sich erschrocken um. Erst jetzt merkte er, dass er mitten auf der Bühne stand und dass alle Augen auf ihn gerichtet waren. Da sprang er vor Angst auf das Mädchen mit dem roten Rock zu, die sich mit beiden Händen immer noch an den Mann mit dem Bart klammerte. Weil das Stück ohnehin zu Ende war, ließ der Direktor den Vorhang fallen. Aber das Publikum wollte den kleinen Bären sehen und klatschte, wie in diesem Theater noch nie geklatscht worden war.

Da öffnete sich der Vorhang wieder und der Schauspieler und die Schauspielerin verbeugten sich. Sie hatten nun den kleinen Bären bei der Pfote genommen. Paddington verbeugte sich ebenfalls. Immer wieder ging der Vorhang auf und die Leute klatschten. Zum Schluss trat der Schauspieler ganz nahe an die Rampe, hob seine Hand und bat um Ruhe.

»Meine Damen und Herren«, rief er. »Vielen Dank für Ihren freundlichen Applaus. Wir sind Ihnen allen sehr dankbar. Aber am dankbarsten bin ich dem kleinen Bären da. Er hat das Stück gerettet. Er heißt Paddington und kommt aus dem dunkelsten Peru ...«

Der Rest der Worte ging im allgemeinen Lachen und Klatschen unter. Alle Zuschauer drängten sich an die Bühne, um den kleinen Bären zu betrachten.

Und dann kam der Theaterdirektor selbst auf die Bühne. Schweißperlen standen ihm noch auf der Stirn, aber jetzt umarmte er den kleinen Bären und hob ihn ganz hoch, damit ihn alle sehen konnten. Dann schloss sich der Vorhang endgültig.

Noch nie hatte Paddington so gut geschlafen wie in dieser Nacht. Und noch viele Tage später fand Judy den kleinen Bären über den Spielplan des Theaters gebeugt. Neben sich hatte er ein großes Bild von Sir Sealy Bloom liegen. »Für Paddington in Dankbarkeit« stand darauf geschrieben. Doch auf eines war der kleine Bär besonders stolz, auf einen Zeitungsausschnitt. Darauf stand in großen Buchstaben gedruckt: PADDINGTON RETTET EINEN THEATERABEND.

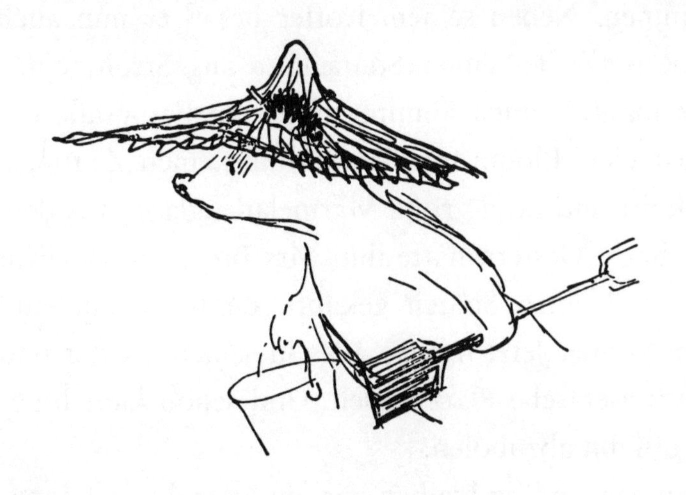

Abenteuer am Meer

Eines Morgens klopfte Mr Brown an das Barometer. »Ein schöner Tag heute!«, sagte er. »Wie wär's mit einem Ausflug ans Meer?« Begeistert wurde sein Vorschlag aufgenommen. Sogleich war das ganze Haus auf den Beinen.

Mrs Bird schmierte einen Berg Butterbrote, während Mr Brown das Auto startbereit machte. Jonathan und Judy suchten ihre Badesachen zusammen, und Paddington ging in sein Zimmer, um seine Sachen zu holen. Bei jedem Ausflug war das so. Er nahm immer seine Sachen mit. Inzwischen hatte Paddington vieles geschenkt bekommen. Neben seinem Koffer besaß er nun auch eine Reisetasche, einen Sonnenhut aus Stroh, einen Wintermantel, einen Sonntagshut, eine Fotografie des Schauspielers Bloom mit Autogramm, einen Zeitungsausschnitt und zwei große Marmeladengläser aus dem Warenhaus. Gestern hatte ihm Mrs Brown noch einen Eimer und einen Spaten gekauft, damit er im Sand spielen könne. Jetzt musste alles in seinem Koffer und seiner Reisetasche Platz finden. Und schon kam Jonathan, um ihn abzuholen.

»Den ganzen Tag bleiben wir am Strand«, rief Jonathan. »Ich sag dir, da gibt es viel zu sehen! Und steck auch Geld ein!«

»Und schwimmen können wir auch«, fügte Judy hinzu. »Du kannst doch schwimmen, Paddington?«

»Nicht sehr gut, fürchte ich«, antwortete der kleine Bär. »Ich war doch noch nie am Meer, außer auf dem Schiff.«

»Noch nie?« Alle starrten ihn verwundert an.

»Nie«, wiederholte Paddington und wurde ganz ungeduldig, als er hörte, was am Meer alles auf ihn wartete.

Das Auto wurde vollgeladen. Mrs Bird, Judy und Jonathan saßen hinten. Mr Brown lenkte, Mrs Brown und Paddington saßen neben ihm. Der kleine Bär fand es wunderbar, vorne zu sitzen, besonders wenn das Seitenfenster offen war. Sobald er sich hinauslehnte, blies ihm der Wind ins Gesicht. Einmal wäre ihm beinahe der Hut vom Kopf geflogen.

»Kannst du das Meer schon riechen, Paddington?«, fragte Mrs Brown nach einer Weile. Der kleine Bär schnupperte.

»Ja, ich rieche etwas«, sagte er.

»Na«, lachte Mr Brown, »dann schnuppere nur weiter, wir sind nämlich fast da.«

Plötzlich tauchte in der Ferne etwas Glitzerndes auf: das Meer. Paddingtons Augen wurden rund.

»Schaut mal, die vielen Boote dort, mitten im Dreck!«, rief er und zeigte mit der Pfote zum Strand. Alle lachten.

»Das ist kein Dreck! Das ist alles Sand!« Mrs Brown erklärte Paddington, warum es am Strand so viel Sand gab. Paddington blickte das Meer misstrauisch an, denn von nahem sahen die Wellen viel größer aus. Nicht so groß freilich wie die Wellen, die er auf seiner Reise nach England gesehen hatte, aber immerhin groß genug für einen kleinen Bären.

Mr Brown hielt vor einem Laden an und stieg aus. »Wir müssen diesen kleinen Bären noch ein bisschen besser ausrüsten«, erklärte er der Verkäuferin. »Wissen

Sie, er ist heute zum ersten Mal mit uns am Meer. Also, wir brauchen eine Sonnenbrille, einen Schwimmgürtel und diesen roten Ball da.«

Die Verkäuferin suchte alles zusammen und legte die Sachen auf den Ladentisch. Der kleine Bär stülpte sich den Schwimmgürtel über den Kopf, setzte sich die Sonnenbrille auf die Nase und nahm den Ball in eine Pfote, den Koffer in die andere.

»Ein Foto?«

Paddington drehte sich um und entdeckte einen Mann mit einem Fotoapparat, der ihn auffordernd ansah. »Kostet nur einen Schilling. Meine Bilder sind die besten. Wenn Sie nicht zufrieden sind, bekommen Sie Ihr Geld zurück.«

Der kleine Bär dachte eine Weile nach. Der Mann gefiel ihm nicht, aber Paddington hatte in den letzten Wochen sehr gespart. Mehr als drei Schilling hatte er in seinem Geldbeutel. Und ein Bild von sich selber zu haben war sicher nicht schlecht!

»Dauert keine Minute«, sagte der Mann und verschwand hinter einem schwarzen Tuch. »Bitte recht freundlich! Siehst du dort den Vogel?«

Paddington sah sich um. Er konnte nirgends einen entdecken. Da lief er zum Fotografen und tippte ihm auf die Schulter. Der Mann schoss hinter dem Tuch hervor. »Wie kannst du erwarten, dass ich ein Bild von dir mache, wenn du nicht ruhig stehen bleibst?«, rief er zornig. »Jetzt ist die Platte verdorben. Das kostet dich einen Schilling extra!«

Paddington blickte ihn böse an. »Sie haben doch gesagt, dort wäre ein Vogel!«, rief er. »Dort ist aber kein Vogel!«

»Wahrscheinlich ist er weggeflogen, als er dein Gesicht sah«, knurrte der Mann. »Also, wo ist mein Schilling?«

Paddington wurde immer zorniger. »Vielleicht hat der Vogel den Schilling mitgenommen, als er wegflog«, brummte er.

Da lachte der andere Fotograf, der in der Nähe stand. »Ha, ha, du Dummkopf! Lässt dich von einem Bären auf die Schippe nehmen! Das geschieht dir ganz recht. Du fotografierst ja hier ohne Erlaubnis! Also verschwinde, bevor ich die Polizei rufe!« Er blieb stehen und passte auf, während der andere Fotograf hastig seine Sachen zusammenpackte und verschwand. Dann wandte sich der richtige Fotograf an den kleinen Bären. »Diese Leute sind unverschämt«, erklärte er. »Nehmen einem alle Kundschaft weg. Gut, dass du ihm kein Geld gegeben hast! Und wenn du willst, mache ich jetzt ein schönes Bild von dir.«

Die Browns blickten einander an. »Ich weiß nicht«, mischte sich da Mrs Brown ins Gespräch, »unser Bär hat doch immer Glück!«

»Das kommt daher, weil er ein Bär ist«, rief Mrs Bird. »Bären haben immer Glück.«

Dann gingen die Browns zum Strand.

»Passt gut auf, wir bleiben an diesem Platz hier«, sagte Mrs Bird, »dann wisst ihr, wo ihr hingehen müsst, falls einer von euch sich verläuft.«

Sie liefen ans Wasser.

»Jetzt ist gerade Ebbe«, rief Mr Brown. »Jetzt können wir ohne Gefahr baden.« Er wandte sich an Paddington: »Kommst du mit ins Wasser?«

Der kleine Bär betrachtete das Meer. »Erst will ich mir den Schwimmgürtel holen«, sagte er.

»Gut, aber beeil dich«, rief Judy. »Und bring den Eimer und den Spaten mit, dann können wir am Strand eine Burg bauen.«

Jonathan zeigte auf ein Plakat an der Bretterwand. »Schaut mal – es gibt einen Wettbewerb: Die schönste Sandburg erhält einen Preis von zwei Pfund!«

»Da machen wir mit!«, rief Judy begeistert. »Ich wette, dass wir drei die größte und schönste Burg bauen werden.«

»Ich glaub nicht, dass das erlaubt ist«, meinte Mrs Brown, »hier steht nämlich, dass jeder seine Burg allein bauen muss.«

Judy war enttäuscht. »Trotzdem ... kommt, wir wollen erst mal baden. Nach dem Essen können wir dann weitersehen.«

Zu dritt rannten sie den Strand entlang. Jonathan und Judy liefen voraus, Paddington stolperte nach den ersten Schritten und kugelte in den Sand.

»Gib mir deinen Koffer!«, rief Mrs Brown. »Du kannst ihn doch nicht mit ins Wasser nehmen. Er wird ja nass!«

Paddington stand auf und brachte Mrs Brown sein Köfferchen. Dann sauste er hinter den andern her. Im niedrigen Wasser setzte er sich erst einmal auf seinen Schwimmgürtel und ließ sich von den Wellen umspülen. Das war ein herrliches Gefühl. Anfangs war es

zwar ein bisschen kalt, aber bald hatte er sich daran gewöhnt. Das Meer war wirklich wunderbar! Paddington paddelte auf seinem Schwimmgürtel weiter aufs Meer hinaus und ließ sich dann von den Wellen zum Ufer zurücktragen. Dabei dachte er immerzu an den Sandburgen-Wettbewerb und an die zwei Pfund. Wenn er ganze zwei Pfund gewinnen würde! Er schloss die Augen. Im Geist sah er eine wunderschöne Sandburg vor sich, so wie er sie im Bilderbuch gesehen hatte. Er träumte von dieser Burg und wachte erst wieder auf, als ihn jemand bespritzte.

»Komm, Paddington!«, rief Judy. »Du liegst einfach auf deinem Schwimmgürtel und schläfst. Es ist Zeit zum Essen. Nachher haben wir schrecklich viel zu tun!«

Der kleine Bär schüttelte sich, damit er richtig wach wurde. Es war so eine schöne Burg gewesen. Für diese

Traumburg hätte er bestimmt den ersten Preis bekommen. Er rieb sich die Augen und lief mit Judy und Jonathan zur Bucht, wo Mrs Bird mit den Frühstücksbroten wartete. Es gab Käse- und Eierbrote und für Paddington Marmeladenbrötchen. Eis und Fruchtsalat waren der Nachtisch.

»Ich schlage vor«, sagte Mr Brown, der sich auf ein Schläfchen freute, »dass sich jeder einen Platz aussucht und dort seine Burg baut. Dann machen wir unseren eigenen Wettbewerb. Ganz für uns, das ist doch ebenso schön. Wer die größte Burg baut, dem gebe ich zwei Schilling.«

Der Vorschlag fand allgemeinen Beifall.

»Aber lauft nicht zu weit weg!«, rief Mrs Brown, als Jonathan, Judy und Paddington davonstürmten. »Vergesst nicht, dass bald die Flut kommt!«

Am Strand tummelten sich viele Leute, und Paddington musste lange gehen, bis er ein einsames Plätzchen fand. Zuerst zog er mit dem Spaten einen Kreis. Dann schaufelte und schaufelte er, bis er einen großen Sandberg vor sich hatte. Er war ein fleißiger Bär, und obwohl seine Pfoten vom Sandschaufeln bald schmerzten, ruhte er sich keine Minute aus. Zuerst baute er die Burgmauer, dann die Gebäude und die Türme.

Als Paddington endlich fertig war, steckte er den Spaten in den Sand, dicht neben den großen Turm, und stülpte seinen Hut darauf. Dann legte er sich daneben und schloss erschöpft die Augen. Er war müde und stolz. Das Rauschen der Wellen schläferte ihn ein.

»Wo habt ihr Paddington gelassen?«, fragte Mrs Brown ein paar Stunden später.

»Wir sind den ganzen Strand entlanggelaufen«, rief Jonathan, »konnten ihn aber nirgends finden.«

»Er hat nicht mal seinen Schwimmgürtel bei sich«, sagte Mrs Brown erschrocken, »nichts, nur seinen Eimer und den Spaten!«

Die ganze Familie hatte sich um einen Strandwärter versammelt.

»Er ist schon ein paar Stunden weg«, erklärte Mr Brown. »Und die Flut ist da!«

Der Mann machte ein ernstes Gesicht. »Und Sie sagen, er kann nicht schwimmen?«

»Er badet nicht mal gern«, rief Judy.

»Dann kann er doch sicher nicht gut schwimmen.«

»Hier ist sein Foto«, sagte Mrs Bird. »Er hat es erst heute Morgen machen lassen.« Sie reichte dem Mann Paddingtons Bild und fuhr sich dann über die Augen. »Ganz bestimmt ist ihm was passiert. Er hat doch noch nie die Vesperpause versäumt!«

Der Mann betrachtete das Foto. »Wir können eine Suchanzeige aufgeben und sein Bild veröffentlichen«, schlug er vor.

»Das hätte aber wenig Sinn. Auf diesem Bild sieht man ja nichts als einen großen Hut und eine Sonnenbrille.«

»Könnten Sie nicht wenigstens ein Rettungsboot ausschicken?«, fragte Jonathan.

»Das können wir freilich«, antwortete der Mann. »Wenn wir nur wüssten, wo wir überhaupt suchen müssen! Der kleine Bär kann ja überall sein.«

»Oje!« Mrs Brown suchte nach ihrem Taschentuch. Sie war den Tränen nahe. »Ich darf gar nicht daran denken!«

»Es wird schon alles gut werden«, tröstete Mrs Bird. »Er ist doch so klug!«

»Hier«, sagte der Mann und hielt einen Strohhut in der Hand. »Nehmen Sie den einmal. Den haben wir im Sand gefunden. Und nun wollen wir überlegen, was wir tun können.«

»Mary!« Mr Brown packte seine Frau am Arm. »Das ist ja sein Hut.«

»Dann kann er selber auch nicht weit sein«, meinte Jonathan. »Am besten verteilen wir uns und suchen noch einmal den ganzen Strand ab.«

Mr Brown machte ein besorgtes Gesicht. »Es wird doch schon dunkel«, sagte er.

Mrs Bird nahm die Decke und faltete sie zusammen. »Ich bleibe hier, bis er gefunden ist«, erklärte sie. »Nein, ohne Paddington gehe ich nicht nach Hause!«

»Keiner von uns denkt daran, ohne Paddington heimzugehen, Mrs Bird«, sagte Mr Brown. »Nur …« Hilflos blickte er aufs Meer hinaus.

»Vielleicht ist er ja irgendwo auf den Damm gelaufen«, tröstete ihn der Strandwächter. »Sehen Sie mal, dort drüben stehen so viele Leute!« Er wandte sich an einen Mann, der vorüberging. »Hallo, Sie, was ist denn dort auf dem Damm los?«

»Ein Bär hat den Atlantik überquert, ganz allein! War hundert Tage unterwegs! Ohne Futter, sagt man!«, rief der Mann und lief weiter.

Der Strandwächter machte ein enttäuschtes Gesicht. »Wieder so eine Reklamesache!«, brummte er. »Jedes Jahr machen sie so etwas.«

Mr Brown schüttelte nachdenklich den Kopf. »Ich weiß nicht …«, meinte er.

»Das klingt doch ganz nach unserem Paddington«, rief Mrs Bird. »Sähe ihm ähnlich! Ihm passieren solche Sachen.«

»Bestimmt!«, rief Jonathan. Sie sahen einander an und rannten hinüber zum Damm. Dort bot sich ihnen ein seltsames Bild: Der kleine Bär war von einem Fischer gerade aus dem Wasser gezogen worden. Er saß auf seinem Eimer und sprach mit einigen Männern. Verschiedene Leute hatten Fotoapparate dabei. Sie knipsten den kleinen Bären und stellten ihm viele Fragen.

»Du kommst direkt aus Amerika?«, fragte einer.

Die Browns wussten nicht, ob sie lachen oder weinen sollten. Gespannt warteten sie auf Paddingtons Antwort.

»O nein«, sagte der kleine Bär, »nein, nicht aus Amerika. Aber ich habe trotzdem einen weiten Weg hinter mir.« Er zeigte mit der Pfote aufs Meer hinaus. »Die Flut hat mich fortgerissen, wissen Sie.«

»Und die ganze Zeit hast du in diesem Eimer gesessen?«, fragte ein anderer.

»Jawohl«, erklärte Paddington. »Meinen Spaten habe ich als Ruder benutzt. Gut, dass ich ihn bei mir hatte!«

»Ernähren Sie sich von Wasserpflanzen?«

Der kleine Bär machte ein erstauntes Gesicht. »Nein«, sagte er, »von Marmelade.«

Mr Brown bahnte sich einen Weg durch die Menge. Paddington sprang auf und blickte schuldbewusst zu Boden.

»So«, sagte Mr Brown und nahm den kleinen Bären bei der Pfote. »Genug Fragen für heute. Dieser Bär ist lange auf dem Wasser gewesen. Jetzt ist er müde. Um es genau zu sagen, den ganzen Nachmittag war er auf dem Wasser!«

»Ist immer noch Dienstag?«, fragte Paddington ungläubig. »Ich dachte, es wäre viel später.«

»Dienstag ist heute«, erklärte Mr Brown bestimmt. »Und wir haben uns deinetwegen zu Tode geängstigt!«

Paddington nahm seinen Eimer und den Spaten. »Ich wette«, sagte er, »nicht viele Bären schwammen schon in einem Eimer auf dem Meer!«

Es war schon dunkel, als sich die Browns auf den Heimweg machten. Die Stadt war hell erleuchtet. Aber Paddington lag hinten im Wagen und schnarchte. Er träumte von seiner Sandburg.

»Meine Burg war die allergrößte«, brummte er im Schlaf.

»Aber meine war noch größer!«, rief Jonathan.

»Ich glaube«, meinte Mr Brown, »ihr alle habt zwei Schilling verdient.«

»Vielleicht kommen wir später noch einmal hierher«, lächelte Mrs Brown. »Dann können wir einen neuen Wettbewerb starten. Wie wäre das, Paddington?«

Sie bekam keine Antwort. Paddington schnarchte wieder so laut, dass man kaum sein eigenes Wort verstand.

Ein Zaubertrick

»Oh«, rief Paddington, »ist das wirklich für mich?«

Er sah den Kuchen an. Es war ein wunderschöner Kuchen. Er hatte einen dicken, rosaroten Zuckerguss und war mit Marmelade gefüllt. Und mitten im Kuchen steckte eine Kerze. Daneben lag ein Zettel, auf dem geschrieben stand: FÜR DEN KLEINEN BÄREN. VIEL GLÜCK ZUM GEBURTSTAG!

Es war Mrs Birds Idee gewesen, eine Geburtstagsfeier zu veranstalten, denn der kleine Bär war jetzt bereits zwei Monate bei ihnen. Niemand, nicht einmal Paddington selber, wusste, wie alt er war. So hatte Judy beschlossen, einfach neu anzufangen und den ersten Geburtstag zu feiern. Paddington fand diesen Gedanken großartig. Noch großartiger fand er, als man ihm sagte, dass Bären zweimal im Jahr Geburtstag hätten, einmal im Sommer und einmal im Winter.

Natürlich wurde auch Mr Gruber zur Geburtstagsfeier eingeladen. Das freute ihn sehr. »Es passiert mir nicht oft, dass ich eingeladen werde«, sagte er gerührt. »Ich weiß nicht, wann ich das letzte Mal zu einer Geburtstagsfeier eingeladen worden bin. Ich freue mich wirklich sehr.«

Mehr sagte er nicht. Aber am nächsten Morgen hielt ein Lieferwagen vor dem Haus der Familie Brown und ein riesiges Paket wurde abgegeben.

»Du Glückspilz!«, rief Mrs Brown, als sie das Paket öffnete. Ein herrlicher neuer Einkaufskorb war darin, mit kleinen Rädern und mit einer Klingel. Damit Paddington klingeln konnte und alle Leute wussten: Jetzt kommt Paddington, der Bär. Auf einer Karte stand: »Herzlichen Glückwunsch dem kleinen Bären von allen Freunden des Portobello-Marktes.«

Paddington kratzte sich am Kopf. »Ich weiß gar nicht, wem ich zuerst danken soll«, sagte er, als er den Korb zu den anderen Geschenken legte. »Ich muss so viele Dankesbriefe schreiben!«

»Das würde ich auf morgen verschieben«, sagte Mrs Brown schnell.

Immer wenn Paddington Briefe schrieb, war am Ende mehr Tinte in seinem Fell als auf dem Papier. Jedes Mal musste er hinterher baden.

Paddington war enttäuscht, denn Briefeschreiben war seine Lieblingsbeschäftigung.

»Aber dann darf ich Mrs Bird in der Küche helfen?«, fragte er.

»Nicht nötig, Paddington«, lächelte Mrs Bird, »wir sind mit dem Geburtstagsessen schon fast fertig. Aber den Löffel darfst du abschlecken, wenn du willst.« Sie hielt nämlich nicht viel von Paddingtons Hilfe in der Küche. »Aber nicht zu viel naschen, sonst kannst du nachher nichts mehr essen«, sagte sie noch.

Auf den Geburtstagskuchen, der in der Küche stand, war Mrs Bird besonders stolz. »Besondere Gelegenheiten erfordern besondere Anstrengungen«, sagte sie und ging ins Esszimmer. Mrs Brown räumte auf. Jonathan und Judy schmückten das Haus. Alle hatten etwas zu tun, nur Paddington nicht.

»Ich dachte, es wäre mein Geburtstag«, grollte er und lief mindestens zum fünften Mal in Mr Browns Arbeitszimmer. Überall war er im Weg.

»So ist es eben«, sagte Mrs Brown. »Warte nur, bald

bist du die Hauptperson.« Im Stillen bereute sie es, dass sie Paddington erzählt hatte, Bären feierten zwei Mal im Jahr Geburtstag. »Schau aus dem Fenster! Der Postbote muss gleich kommen«, sagte sie. Aber der kleine Bär hatte keine große Lust dazu. »Du kannst auch«, schlug Mrs Brown vor, »einen Zaubertrick für den Abend einüben.«

Unter Paddingtons Geschenken war auch ein wunderbarer Zauberkasten. Ein Zaubertisch gehörte dazu, eine geheimnisvolle Kiste, ein Zauberstab und viele verschiedene Karten. Paddington breitete alle Gegenstände auf dem Boden aus. Dann setzte er sich daneben, um die Anleitung zu lesen. Lange Zeit saß er dort, studierte die Bilder und Zeichnungen und las die Beschreibungen, um ja nichts falsch zu machen. Zwischendurch tauchte er seine Pfote in das Marmeladenglas und schleckte die Pfote ab. Dann fiel ihm wieder ein, dass heute sein Geburtstag war, und er musste an die vielen Gäste denken, die kommen würden. Hastig stand er auf und stellte das Marmeladenglas auf den Zaubertisch. Und wieder nahm er sein Zauberbuch zur Hand. Das erste Kapitel hieß: »Zaubersprüche«. Darin wurde beschrieben, wie man den Zauberstab bewegen und gleichzeitig *Abrakadabra* sagen musste. Paddington stand auf, nahm das Buch in eine Hand und schwang den Zauberstab durch die Luft. »Abrakadabra«, sagte er.

Dann sah er sich um. Nichts hatte sich verändert. Gar nichts! Er wollte es gerade noch einmal versuchen, als seine Augen sich plötzlich weiteten. Das Marmeladenglas war verschwunden! Er hatte es doch gerade auf den Tisch gestellt! Hastig blätterte er im Buch. Dort stand gar nichts über das Verschwinden von Marmeladengläsern. Was aber noch schlimmer war: Es stand auch nichts darin, wie man sie zurückzaubern konnte. Paddington fand, dass das ein ungeheuerlicher Zauberspruch sein musste, der ein großes Glas wegzaubern konnte.

Er wollte schon hinauslaufen, um es den anderen zu erzählen, als ihm plötzlich etwas Besseres einfiel. Das konnte ein großartiger Trick für die Geburtstagsgäste werden. Mrs Bird musste ihm nur ein neues Glas geben.

Paddington ging in die Küche, schwenkte seinen Zauberstab dicht vor Mrs Birds Kopf hin und her und rief dazu: »Abrakadabra, Abrakadabra!«

»Ich gebe dir gleich Abrakadabra«, rief Mrs Bird und jagte ihn zur Küche hinaus. »Und pass auf mit deinem Stock! Sonst passiert noch etwas damit!«

Paddington ging gekränkt in das Arbeitszimmer zurück. Nun versuchte er, die Zaubersprüche rückwärts aufzusagen. Aber das Marmeladenglas kam nicht zum Vorschein. Er begann, das nächste Kapitel zu lesen. »Das verschwundene Ei« hieß es. Aber bald war Zeit fürs Mittagessen.

»Du brauchst doch kein Zauberbuch, um zu lernen, wie man Eier verschwinden lassen kann«, lachte Mrs Bird beim Mittagessen. »Bei deinem Appetit ist das kein Kunststück für dich!«

Endlich war es Nachmittag geworden. Die ganze Familie hatte sich Punkt drei Uhr versammelt; auch Mr Gruber war erschienen. Später kamen noch verschiedene Nachbarn, so auch Mr Curry.

»Was hat denn Mr Curry hier zu suchen?«, brummte Mrs Bird. »Unverschämt, einfach so hereinzuplatzen und einem kleinen Bären den Geburtstagskuchen wegzuessen! Er war doch gar nicht eingeladen!«

»Oh, dann muss er aber flink sein, wenn er von Paddingtons Kuchen noch etwas haben will«, lachte Mr Brown. »Aber es ist schon unverschämt, dass er gekommen ist. Dabei hat er Paddington nicht einmal gratuliert!«

Mr Curry war nicht beliebt. Es war bekannt, dass er seine Nase stets in Angelegenheiten steckte, die ihn gar nichts angingen. Er war immer schlechter Laune und ärgerte sich über jede Kleinigkeit. Und deshalb hatte Mrs Brown ihn auch nicht eingeladen.

Aber nicht einmal Mr Curry konnte sich heute beklagen. Vom Geburtstagskuchen bis zu den Marmeladenbrötchen war alles vorzüglich. Jeder fand, dass es die schönste Geburtstagsfeier seit langer Zeit sei. Paddington war so satt, dass er nur noch mit Mühe die Geburtstagskerze auspusten konnte. Als es ihm gelungen war, klatschten alle, sogar Mr Curry.

»Und nun«, sagte Mr Brown, als sich der Lärm ein wenig gelegt hatte, »nun wollen wir unsere Stühle zurückschieben. Paddington hat noch eine Überraschung für uns.«

Die Gäste stellten ihre Stühle in einer Reihe auf und Paddington verschwand im Arbeitszimmer. Gleich darauf kam er mit seinem Zauberkasten zurück. Er rückte den Tisch zurecht und baute den geheimnisvollen Kasten auf. Schließlich war alles fertig. Die große Lampe wurde ausgeknipst. Paddington schwenkte seinen Zauberstab und bat um Ruhe.

»Meine Damen und Herren«, begann er und sah schnell in sein Zauberbuch, »mein nächster Trick ist unmöglich!«

»Du hast ja noch gar keinen vorgeführt«, brummte Mr Curry.

Der kleine Bär achtete nicht auf ihn und beugte sich über sein Buch. »Für diesen Trick«, sagte er, »brauche ich ein Ei.«

Mrs Bird lief in die Küche. »Ich sehe es schon kommen«, sagte sie. »Jetzt passiert etwas Schreckliches!«

Paddington legte das Ei mitten auf den Zaubertisch und deckte es mit einem Taschentuch zu. Dann murmelte er: »Abrakadabra, Abrakadabra«, und schlug mit dem Zauberstab auf das Taschentuch.

Mr und Mrs Brown sahen sich an. Beide dachten an den Teppich.

»Bitte schön!«, rief Paddington und zog das Taschentuch weg. Zur größten Überraschung der Zuschauer war das Ei tatsächlich verschwunden.

»Das hat er mit seiner Pfote gemacht«, sagte Mr Curry mürrisch. »Aber immerhin, für einen Bären ist es ganz gut. Und jetzt zaubere das Ei zurück.«

Paddington verbeugte sich stolz und griff in sein geheimes Fach unter dem Tisch. Zu seinem Erstaunen fand er dort etwas viel Größeres als ein Ei. Tatsächlich ... dort stand ein Marmeladenglas! Es war das Glas, das am Vormittag verschwunden war. Der kleine Bär hob es hoch. Der Beifall war enorm!

»Großartig«, sagte Mr Curry und schlug sich aufs Knie. »Tut so, als ob er ein Ei suchen würde, und bringt ein Marmeladenglas zum Vorschein.«

»Und nun«, kündigte Paddington an, »kommt der Verschwindetrick.«

Er nahm eine von Mrs Browns Blumenschalen und stellte sie auf den Esstisch vor seiner Zauberkiste. Mit diesem Trick war Paddington gar nicht zufrieden. Er hatte ihn nicht genügend geübt. Auch wusste er nicht genau, wie diese Zauberkiste eigentlich funktionierte und wie man Blumen verschwinden lassen konnte.

Paddington öffnete die Tür an der Rückseite der Kiste und blickte hinein.

»Einen Augenblick bitte«, sagte er. Die Zuschauer saßen still und erwartungsvoll da.

»Ein ziemlich fauler Trick!«, meinte Mr Curry nach einer Weile.

»Es wird schon klappen«, entgegnete Mrs Brown. »Aber wo ist denn Paddington?«

»Weit weg kann er ja nicht sein«, meinte Mr Curry. »Wollen mal an die Kiste klopfen!«

Er stand auf und klopfte. Dann hielt er sein Ohr an die Kiste. »Ich höre jemanden rufen«, sagte er. »Es scheint Paddingtons Stimme zu sein. Warten Sie, ich versuche es noch einmal.«

Mr Curry rüttelte an der Kiste. Drinnen in der Kiste machte es »Plumps«.

»Ich fürchte, Paddington ist eingesperrt«, sagte Mr Gruber. »Was ist los, Paddington? Geht es dir nicht gut?« Er klopfte ebenfalls an die Kiste.

»Nein!«, antwortete eine matte Stimme von innen. »Es ist so dunkel hier und ich kann mein Zauberbuch nicht mehr lesen.«

»Ein großartiger Trick«, sagte Mr Curry, nachdem sie die Zauberkiste gewaltsam geöffnet hatten. Rasch nahm er sich noch ein Stück Kuchen. »Der verschwundene Bär! Wirklich sehr ungewöhnlich! Aber was wollte er eigentlich mit den Blumen?«

Paddington blickte Mr Curry böse an, aber der war mit seinem Kuchen zu sehr beschäftigt und bemerkte es nicht.

»Für meinen nächsten Zaubertrick«, verkündete Paddington, »brauche ich eine Uhr.«

»Wirklich?«, fragte Mrs Brown. »Könnte es nicht etwas anderes sein?«

Paddington las in seinem Zauberbuch. »Nein. Hier steht: Man nehme eine Uhr«, sagte er.

Mr Brown zog schnell seinen Ärmel über sein linkes Handgelenk. Aber da gab Mr Curry dem kleinen Bären seine Uhr. Paddington nahm sie und legte sie auf den Tisch.

»Das ist ein sehr lustiger Zaubertrick!«, rief er und griff in seine Kiste. Er brachte einen kleinen Hammer zum Vorschein. Dann bedeckte er die Uhr mit einem

Taschentuch und schlug mit dem Hammer ein paar Mal kräftig darauf. Mr Currys Lächeln gefror. »Ich hoffe, du weißt, was du da tust!«, rief er.

Paddington blätterte nur in seinem Zauberbuch und hörte nicht auf Mr Curry. Im Zauberbuch stand: »Für diesen Trick braucht man zwei Uhren!« Mutig hob er einen Zipfel des Taschentuches hoch. Da rollten auch schon ein paar Rädchen und Glasscherben über den Tisch.

Mr Curry schrie wütend auf.

»Oh, ich glaube, ich habe vergessen, Abrakadabra zu sagen«, stammelte Paddington.

»Abrakadabra!«, kreischte Mr Curry. »Abrakadabra! So ein Mist!« Er hielt die Trümmer seiner Uhr in der Hand. »Zwanzig Jahre habe ich diese Uhr getragen und nun sehen Sie sich das an! Die hat ein Vermögen gekostet!«

Mr Gruber setzte seine Brille auf und untersuchte die Uhr sorgfältig. »Die haben Sie doch vor sechs Monaten bei mir gekauft. Fünf Schilling hat diese Uhr gekostet. Sie sollten sich schämen!«

»Bei Ihnen gekauft! Nie im Leben kaufe ich etwas bei Ihnen«, zeterte Mr Curry und setzte sich schwerfällig auf den freien Stuhl. »Nie! Ich werde Ihnen …« Mr Currys Gesicht nahm einen merkwürdigen Ausdruck an. »Ich sitze da auf etwas«, sagte er, »auf etwas Feuchtem und Klebrigem.«

»O nein!«, schrie Paddington. »Ich glaub, das ist das Ei, das ich vorhin weggezaubert habe. Es muss wieder aufgetaucht sein!«

Mr Curry wurde puterrot vor Zorn. »Noch nie in meinem Leben bin ich so behandelt worden«, brüllte er. »Nie!« Er wandte sich zur Tür und hob drohend die Faust. »Das war das erste und das letzte Mal, dass ich Ihr Haus betreten habe!«

»Aber Henry!«, tadelte Mrs Brown ihren Mann, als die Tür sich hinter Mr Curry geschlossen hatte. »Da gibt's doch wirklich nichts zu lachen!«

Mr Brown gab sich große Mühe, ein ernstes Gesicht zu machen. »Ich kann nichts dafür«, sagte er, noch immer lachend.

»Haben Sie das Gesicht von Mr Curry gesehen, als all die Rädchen unter dem Taschentuch hervorgerollt sind?«, lachte Mr Gruber.

»Trotzdem«, meinte Mr Brown nach einer Weile, als sie sich endlich alle wieder beruhigt hatten, »trotzdem finde ich, du solltest dir nächstes Mal lieber etwas ungefährlichere Tricks aussuchen, Paddington!«

»Wie wäre es mit einem von diesen Kartentricks, von

denen du mir erzählt hast?«, schlug Mr Gruber vor. »Zum Beispiel mit dem Trick, bei dem du eine Karte zerreißt und sie später einem Zuschauer heil aus dem Ohr zauberst.«

»Ja, der scheint nett zu sein – und nicht so aufregend«, rief Mrs Brown.

»Ihr wollt also keinen Verschwindetrick mehr?«, fragte Paddington.

»Nein, ganz bestimmt nicht!«, beteuerte Mrs Brown.

»Gut«, sagte der kleine Bär und kramte in seiner Kiste. »Dieser Zaubertrick ist nicht gerade leicht für mich, weil ich Pfoten und keine Hände habe. Aber ich will ihn versuchen.«

Paddington reichte Mr Gruber ein Kartenspiel. Der zog eine Karte aus der Mitte und sah sie genau an, bevor er sie wieder hinlegte. Paddington schwang seinen Zauberstab über dem Häufchen Karten. Dann zog er eine Karte hervor und hielt sie hoch. »War es der Herzkönig?«, fragte er.

Mr Gruber putzte seine Brille und sah scharf hin. »Ja«, sagte er, »ich glaube, es war der Herzkönig.«

»Und ich wette, das sind alles dieselben Karten!«, flüsterte Mr Brown seiner Frau zu.

»Pst!«, wisperte Mrs Brown. »Ich finde, Paddington macht seine Sache gut.«

»Dies ist jetzt der schwerste Teil«, erklärte der kleine Bär und zerriss die Karte. Er legte die zerrissene Karte unter das Taschentuch und berührte sie dann mehrmals mit dem Zauberstab.

»Oh!«, rief Mr Gruber plötzlich und rieb sich den Kopf. »Ich habe was gespürt, etwas Kaltes und Hartes.« Er betastete sein Ohr.

»Nein, so was! Ich glaube fast ...« Er hielt etwas Rundes, Glänzendes in die Höhe und zeigte es den anderen. »Es ist ein Zwanzig-Schilling-Stück! Mein Geburtstagsgeschenk für Paddington! Ich möchte nur wissen, wie das hierherkommt!«

»Ah!«, rief Paddington und betrachtete das Geschenk. »So viel habe ich nicht erwartet. Vielen, vielen Dank!«

»Nun ja«, meinte Mr Gruber, »es ist ja nur ein bescheidenes Geschenk; aber mir haben die netten Plauderstündchen mit dir immer so viel Spaß gemacht. Ich freue mich schon auf das nächste, und ...«, er räusperte sich und sah sich um, »und ich glaube, wir alle hoffen, dass du noch viele, viele Geburtstage mit uns feiern wirst.«

Als der Jubel über diese nette kleine Ansprache verklungen war, stand Mr Brown auf und sah auf die Uhr. »Und nun«, sagte er, »ist schon längst Zeit zum Ins-

Bett-Gehen. Vor allem du, Paddington. Und deshalb schlage ich vor, dass wir jetzt alle zusammen den ›Verschwindetrick‹ spielen.«

»Ich wollte …«, sagte Paddington, als er allen Auf Wiedersehen sagte, »ich wollte, Tante Lucy könnte mich jetzt sehen. Sie wäre bestimmt sehr glücklich.«

»Du musst ihr eben schreiben und ihr alles erzählen«, meinte Mrs Brown und nahm ihn bei der Pfote. »Aber lieber morgen«, fügte sie hinzu.

»Ja«, sagte Paddington, »erst morgen. Ich weiß, die Tinte! Mir passieren eben immer solche Sachen!«

»Weißt du, Henry«, meinte Mrs Brown, nachdem Paddington im Bett war, »es ist doch schön, dass wir einen kleinen Bären im Haus haben.«

Das Familienfoto

So still war es sonst nie im Haus der Familie Brown. Aber heute schien die Sonne und alle saßen draußen. Nur Paddington fehlte. Er war heimlich nach dem Mittagessen verschwunden.

Auch im Garten war es still. Nur das Papier raschelte, wenn Mr Brown eine Seite des dicken Buches umblätterte, das er auf den Knien hielt. Mrs Browns Stricknadeln klapperten. Mrs Bird stellte die Tassen für den Vieruhrtee auf den Tisch. Jonathan und Judy beugten sich Kopf an Kopf über ein Puzzle. Keiner sagte ein Wort, weil sie so sehr nachdenken mussten.

»Ich muss schon sagen …«, brummte Mr Brown. Er sog an seiner Pfeife und stieß eine weiße Rauchwolke in die Luft. »Mindestens ein Dutzend Mal habe ich das Lexikon durchgeblättert, doch an keiner einzigen Stelle steht etwas über Bären wie Paddington. Das ist wirklich sonderbar.«

»Sie werden in gar keinem Lexikon etwas über einen Bären wie Paddington finden«, meinte Mrs Bird. »Solche Bären sind selten. Wir können ja Gott danken, dass das so ist. Diese Bären würden uns ein Vermögen kosten, nur schon wegen all der Marmelade, die sie fressen.«

Die Haushälterin konnte es sich nie verkneifen, von der Marmelade zu sprechen, die Paddington fraß, aber trotzdem stand in der Küche immer ein volles Marmeladenglas für ihn bereit.

»Warum möchtest du denn Paddington im Lexikon nachschlagen, Henry?«, fragte Mrs Brown und legte ihr Strickzeug nieder.

Mr Brown drehte an seinem Schnurrbart. »Oh, einfach so. Es interessiert mich, das ist alles.«

Es war nämlich keine leichte Aufgabe, einen Bären in der Familie zu haben – besonders einen Bären wie Paddington. Und Mr Brown nahm diese Aufgabe sehr ernst.

»Ich finde«, sagte er und klappte das Buch zu, »wenn er schon für immer bei uns bleiben soll …«

»Wenn er bleiben soll …?«, fielen ihm alle ins Wort.

»Was in aller Welt willst du mit diesem ›Wenn‹ sagen?«, rief Mrs Brown. »Natürlich bleibt Paddington für immer bei uns!«

»Da er also für immer bei uns bleibt«, verbesserte sich Mr Brown, »müssen wir auch etwas für ihn tun. Zum Beispiel sollten wir endlich das leere Zimmer für ihn einrichten.«

Damit waren alle einverstanden. Seit seiner Ankunft bei den Browns wohnte der kleine Bär im Gästezimmer. Wenn andere Gäste kamen, musste er immer ausziehen. Paddington war ein höflicher Bär und hatte sich nie darüber beklagt. Alle dachten aber schon lange daran, dass er ein eigenes Zimmer haben müsse.

»Zweitens«, fuhr Mr Brown fort, »brauchen wir von Paddington ein Foto. Er muss einen Ausweis haben. Und dann wäre es schön, wenn wir von uns allen zusammen ein Familienfoto hätten.«

»Ein Foto?«, rief Mrs Bird. »Komisch, dass Sie davon sprechen!«

»Was soll da komisch sein?«, fragte Mr Brown.

Mrs Bird schenkte eifrig Tee ein. »Sie werden schon sehen …« Mehr wollte sie nicht verraten.

Im gleichen Augenblick hörte man ein lautes Poltern aus dem Wohnzimmer. In der Tür tauchte der kleine Bär auf. Er schleppte einen riesigen Karton. Auf dem Karton lag ein Gegenstand mit langen, dünnen Beinen.

Aber nicht der sonderbare Gegenstand erregte allgemeines Erstaunen, sondern der kleine Bär selber. So sauber war er sonst doch nie! Sein Pelz glänzte weich und goldbraun. Die Ohren guckten rosig unter der breiten Krempe seines alten Hutes hervor. Und auch die Pfoten waren frisch gewaschen.

»Nanu!«, stieß Mr Brown hervor und goss beinahe seinen Tee über das Lexikon. »Was ist denn mit dir los, Paddington?«

»Ich habe nur gebadet«, sagte der kleine Bär gekränkt.

»Gebadet?«, wiederholte Judy langsam. »Du hast freiwillig gebadet?«

»Hey!«, schrie Jonathan. »Paddington hat freiwillig gebadet.«

»Es geht dir doch gut?«, fragte Mr Brown den kleinen Bären. »Ich meine – du bist doch nicht krank oder dergleichen?«

Der kleine Bär war nun wirklich sehr beleidigt. Warum regten sich alle auf? Sie taten so, als hätte er sich noch nie gewaschen. Dabei wusch er sich doch fast jeden Morgen. Nur über das Baden hatte er seine eigenen Ansichten. In die Wanne gesteckt zu werden, fand er sehr ungemütlich. Der Pelz wurde klatschnass, und dann dauerte es schrecklich lang, bis er wieder trocken war.

»Ich wollte doch bloß für das Foto hübsch aussehen«, sagte er mit fester Stimme.

»Für das Foto?«, rief Judy. Woher wusste denn der kleine Bär, dass sie ein Familienfoto machen wollten?

»Ja, für das Foto«, sagte Paddington. Mit bedeutungsvoller Miene bückte er sich und knüpfte die Schnur um den Karton auf. »Ich habe mir einen Fotoapparat gekauft.«

Ein kurzes Schweigen folgte. Alle starrten auf den Karton.

»Eine Kamera?«, fragte Mrs Brown endlich. »Aber eine Kamera ist doch sehr teuer.«

»Diese eben nicht«, antwortete der kleine Bär keuchend. Er richtete sich auf und hielt eine große Kamera an seine Brust, eine Kamera, wie sie alle noch nie gesehen hatten. »Ich habe sie auf dem Markt gekauft. Sie hat nur ein paar Pennys gekostet.«

»Ein paar Pennys!«, rief Mr Brown. Er wandte sich zu den andern. »Ich habe noch nie jemanden gekannt, der so geschäftstüchtig ist wie Paddington.«

»Oh«, sagte Jonathan, »sogar ein schwarzes Tuch ist da, unter das man den Kopf stecken kann.«

»Was ist denn dieses lange Ding?«, fragte Judy und zeigte auf den sonderbaren Gegenstand.

»Das ist ein Stativ«, erklärte der kleine Bär stolz. Er setzte sich auf den Boden und klappte die Beine des Stativs auf. »Man braucht ein Stativ, damit die Kamera nicht wackelt.«

Mr Brown nahm die Kamera und untersuchte sie. Als er sie umdrehte, fielen ein paar rostige Schrauben und mehrere alte Nägel heraus. »Ist sie nicht ziemlich alt?«, fragte er. »Es sieht so aus, als hätte sie jemand als Werkzeugkasten benützt.«

Paddington schob seinen Hut zurück. Er warf Mr Brown einen vorwurfsvollen Blick zu. »Es ist ein äußerst seltenes Exemplar«, antwortete er. »Der Mann im Laden sagte es.«

»Ich finde, sie ist super!«, rief Jonathan aufgeregt. »Mich fotografiert Paddington als Ersten! Wetten?«

»Ich habe nur eine Platte«, sagte Paddington. »Platten kosten eine Menge. Alle müssen gemeinsam auf ein Bild, tut mir leid, Jonathan!«

Der kleine Bär schraubte die Kamera auf das Stativ und stellte die richtige Länge der Beine ein.

»Ist diese Kamera nicht zu kompliziert und zu groß

für einen Bären?«, fragte Mrs Brown. »Kannst du wirklich damit fotografieren?«

»Ganz bestimmt«, antwortete Paddington. Er verschwand unter dem schwarzen Tuch. Seine Stimme wurde dumpf. »Mr Gruber hat mir ein Buch über das Fotografieren geliehen. Ich habe die ganze Zeit unter den Betttüchern geübt.«

»Gut«, sagte Mr Brown. »Wenn es so ist, dann gehen wir am besten gleich in den Garten. Paddington soll fotografieren, solange die Sonne noch scheint.« Er ging den anderen voran ins Freie. Der kleine Bär lief aufgeregt mit Kamera und Stativ hin und her.

Nach ein paar Minuten verkündete Paddington, dass er bereit sei. Er schaute prüfend die Gruppe auf dem

Rasen an. Nein, so gefiel es ihm gar nicht. Jonathan musste sich neben Judy setzen, Mrs Brown sollte rechts davon sitzen und Mrs Bird links, hinten stand Mr Brown. Immer wieder lief der kleine Bär zur Kamera und guckte durch die Linse. Endlich war er zufrieden.

Leider waren die Füße des Stativs sehr kurz, so dass sich Mr Brown auf den Boden kauern musste. Ächzend ließ er sich nieder. Es war sehr unbequem, hinter den Kindern auf dem Boden zu hocken.

Aber Paddington war noch nicht zufrieden. Er guckte durch die Kamera und brummte laut. Mr Brown konnte er am großen Schnurrbart auf der Platte erkennen. Alle anderen sahen verschwommen aus, als stünden sie im Nebel. Der kleine Bär streckte den Kopf unter dem Tuch hervor. Kein bisschen Nebel war zu entdecken.

Paddington setzte sich ins Gras und blätterte in seinem Lehrbuch. Die anderen warteten geduldig. Auf den ersten Blick entdeckte er das, was er suchte. Das Kapitel hieß: »Die richtige Einstellung«. Hier wurde erklärt, wie man klare und scharfe Bilder erhielt. Vor allem war die Entfernung wichtig. Es gab sogar ein Bild, auf dem ein Mann die Entfernung mit einer Schnur maß.

Einige Minuten verstrichen, denn der kleine Bär konnte nur langsam lesen. Und dazu musste er auch noch die Abbildungen studieren.

»Hoffentlich dauert es nicht mehr lange«, sagte Mr Brown. »Ich bekomme gleich einen Krampf in den Beinen.«

»Wenn du aufstehst, wird Paddington böse«, sagte Mrs Brown. »Er hat sich doch solche Mühe mit uns gegeben. Und es sieht wirklich hübsch aus.«

»Das ist alles recht und gut«, murrte Mr Brown. »Du sitzt wenigstens auf dem Boden!«

»Still!«, zischte Mrs Brown. »Ich glaube, Paddington ist fast fertig. Er zieht an der Schnur.«

»Was um alles in der Welt soll das wieder heißen?«, fragte Mr Brown.

»Ich muss den Abstand messen«, erklärte der kleine Bär und knüpfte eine Schlinge.

»Halt!«, wehrte sich Mr Brown, als er sah, was der kleine Bär vorhatte. »Würde es dir etwas ausmachen, das andere Ende der Schnur an der Kamera festzubinden und nicht an meinem Ohr? Mir wäre das viel lieber und …« Aber Paddington hatte schon die Schlinge festgezogen. Der Rest des Satzes erstarb in einem gurgelnden Laut.

Der kleine Bär sah ziemlich überrascht auf. Er hatte den Knoten fest um Mr Browns Ohr zugezogen. »Tut's weh?«, fragte er schließlich. Paddington war nicht geschickt beim Knotenknüpfen, weil Pfoten für diese Tätigkeit nicht geeignet sind.

»Aber Henry!«, sagte Mrs Brown. »Reg dich nicht so auf. Man könnte fast glauben, er hätte dir das Ohr ausgerissen.«

Mr Brown rieb sein Ohr. Es war dunkelrot. »Es ist schließlich mein Ohr«, sagte er, »und es tut ganz schön weh.«

»Wohin läuft er denn jetzt?«, rief Mrs Bird, als der kleine Bär plötzlich im Haus verschwand.

»Er misst wohl die Länge der Schnur«, sagte Jonathan.

»Jetzt reicht's mir«, rief Mr Brown. »Ich stehe auf!«

»Henry«, sage Mrs Brown, »wenn du das tust, werde ich sehr böse.«

»Du hast recht, es ist sowieso zu spät«, stöhnte Mr Brown, »meine Beine sind schon eingeschlafen.«

Zum Glück kam Paddington gerade wieder zurück. Er starrte zuerst prüfend auf die Sonne und dann auf die wartende Gruppe.

»Es tut mir wirklich leid«, sagte er nach einem kurzen Blick in sein Buch, »aber ihr müsst hierherkommen. Die Sonne steht nicht mehr an der gleichen Stelle.«

»Das überrascht mich gar nicht«, brummte Mr Brown, setzte sich ins Gras und rieb seine Beine. »Wenn du so weitermachst, wird sie untergegangen sein, bevor wir fertig sind.«

»Da hat man ja gar keine Ahnung, wie schwierig es ist, ein Foto zu machen«, stöhnte Mrs Bird.

»Eins möchte ich nur wissen«, flüsterte Judy. »Wozu hat Paddington eigentlich gebadet, wenn er nicht auf das Foto kommt?«

»Ja, sehr richtig!«, sagte Mr Brown. »Wie kommst denn du auf das Foto, Paddington?«

Der kleine Bär warf Mr Brown einen merkwürdigen Blick zu. Daran hatte er wirklich nicht gedacht. Aber warum sollte er sich jetzt den Kopf darüber zerbrechen? Dazu war später noch Zeit. Irgendwie würde er damit gewiss fertigwerden. Jetzt gab es Wichtigeres zu tun.

»Ich werde abdrücken und dann auf die andere Seite laufen«, sagte er nach kurzem Nachdenken.

»Kein Bär kann so schnell laufen«, meinte Mr Brown.

»Ich bin sicher, dass Paddington es selbst am besten weiß, Henry«, flüsterte Mrs Brown. »Und wenn er es auch nicht weiß, sag um Himmels willen nichts mehr davon. Stell dir vor, er kommt darauf, dass er für nichts und wieder nichts gebadet hat!«

»Ist das schwarze Tuch nicht zu groß?«, fragte Mrs Bird und schaute auf die Kamera. »Ich kann Paddington nicht mehr sehen.«

»Das kommt davon, weil er so klein ist«, erklärte Jonathan. »Er musste das Stativ kürzen.«

Alle saßen starr mit lächelnden Gesichtern da. Plötzlich kam der kleine Bär wieder unter dem Tuch hervor. Er drehte vorn an der Kamera. Dann verkündete er laut: »Jetzt ist es gleich soweit.« Und wieder verschwand er unter dem Tuch.

Plötzlich begann die Kamera gefährlich hin und her zu schwanken.

»Du lieber Himmel«, rief Mrs Bird. »Was ist denn los?«

»Vorsicht!«, schrie Mr Brown. »Er kommt auf uns zu!«

Alle sprangen zur Seite. Mit weit offenen Augen

starrten sie auf die Kamera, die ihnen hinterherschwankte. Wenige Schritte vor ihnen blieb sie jäh stehen. Sie wandte sich nach links, in Richtung eines Rosenstrauchs.

»Hoffentlich ist ihm nichts geschehen«, sagte Mrs Brown besorgt.

»Sollten wir ihm nicht lieber helfen?«, fragte Mrs Bird. Dann war ein erstickter Schrei vom kleinen Bären zu hören.

Bevor jemand antworten konnte, prallte die Kamera vom Rosenstrauch zurück und schoss über den Rasen. Zweimal tanzte sie um den kleinen Teich in der Mitte des Rasens und sprang dann ein paar Mal in die Luft, bevor sie umkippte. Mit einem dumpfen Laut landete sie in Mr Browns schönstem Blumenbeet.

»Himmel!«, schrie Mr Brown und stürzte vorwärts. »Meine Petunien!«

»Ach, du mit deinen Petunien«, rief Mrs Brown. »Kümmere dich lieber um Paddington!«

Mr Brown beugte sich nieder und hob das Tuch auf. »Kein Wunder!«, sagte er. »Sein Kopf steckt fest in der Kamera.«

Er begann an Paddingtons Beinen zu ziehen.

»Sei lieber vorsichtig, Papa«, sagte Jonathan. »Seine Barthaare sind vielleicht im Verschluss festgeklemmt.«

Mr Brown hörte zu ziehen auf. Er kroch um die

Kamera und spähte durch die Linse. »Ich kann nichts sehen«, sagte er. »Alles ist schwarz.« Er klopfte an das Gehäuse. Ein schwaches Brummen aus der Kamera antwortete.

»Butter!«, rief Mrs Bird und eilte davon. »Es geht nichts über Butter, wenn jemand feststeckt.«

Jonathan hielt die Kamera fest. Mr Brown zog an der anderen Seite. Trotz reichlicher Verwendung von Butter dauerte es einige Zeit, bis der Kopf des kleinen Bären endlich aus der Kamera befreit war. Paddington setzte sich ins Gras. Er rieb seine Ohren und sah sehr zerzaust aus. Die Sache war ganz und gar nicht nach seinem Plan gegangen.

Als wieder Ordnung eingetreten war, sagte Mr Brown: »Wir stellen uns jetzt wie vorher auf. An dem Auslöser befestigen wir eine Schnur. Paddington soll sich zu uns setzen und aus der Ferne abknipsen. Das ist viel einfacher.«

Diesem Vorschlag stimmten alle zu. Mr Brown stellte seine Familie wieder auf dem Rasen auf und Paddington achtete sorgfältig darauf, den Kopf diesmal nicht in die Kamera zu stecken. Dann gab es noch eine kurze Verzögerung, weil er zu heftig an der Schnur zog und das Stativ umpurzelte. Doch schließlich kam der große Augenblick. Klick – alle atmeten erleichtert auf!

Kurze Zeit später marschierten Mrs Bird, die Familie Brown und der kleine Bär in ein Fotogeschäft. Der Mann hinter dem Ladentisch machte große Augen. Was wollte denn ein Bär in einem Fotogeschäft? Und noch dazu ein Bär mit einer Riesenkamera!

»Das ist freilich eine sehr seltene Kamera«, sagte der Fotohändler schließlich und untersuchte interessiert den Riesenapparat. »Äußerst selten! Selbstverständlich weiß ich, dass es diese Art gegeben hat, aber gesehen habe ich noch keinen. Äh ... er muss wohl einige Zeit in einer Speisekammer oder an einem ähnlichen Ort aufbewahrt worden sein. Ist das nicht Butter?«

»Ich hatte einen kleinen Unfall«, brummte Paddington verlegen.

»Wir sind alle sehr neugierig, wie die Aufnahme geworden ist«, fügte Mr Brown hinzu. »Können wir gleich darauf warten?«

Nur zu gern kam der Mann dem Wunsch nach. Was er gehört und gesehen hatte, machte auch ihn neugierig. Er eilte in seine Dunkelkammer. Die Browns blieben im Laden zurück.

Als der Fotohändler zurückkam, sah er sehr verwundert aus. »Haben Sie nicht gesagt, Sie hätten diese Aufnahme heute gemacht?«, fragte er und warf einen Blick auf das sonnige Fenster.

»Das stimmt«, sagte Paddington und sah ihn misstrauisch an.

Der Mann hielt die Platte gegen das Licht, damit der kleine Bär sie betrachten konnte.

»Nun«, sagte er, »es ist ein hübsches und scharfes Bild. Ich kann Sie alle darauf sehen. Aber wo kommt nur der Nebel auf dem Bild her? Und diese Lichtflecken – beinahe wie Mondstrahlen! Wirklich sehr sonderbar.«

Der kleine Bär nahm die Platte in seine Pfoten. Er betrachtete sie sorgfältig und wackelte mit dem Kopf.

»Für den ersten Versuch ist es ein sehr hübsches Bild«, sagte Mrs Bird. »Ich möchte sieben Abzüge in Postkartengröße, bitte. Paddingtons Tante in Peru wird sich gewiss über ein Bild freuen. Sie lebt in einem Heim für pensionierte Bären in Lima«, erklärte sie dem Ladenbesitzer.

»Tatsächlich?«, sagte der Mann erstaunt. »Es ist das erste Mal, dass man Fotos von mir nach Übersee schickt. Und dazu noch in ein Heim für pensionierte Bären!«

Er dachte einen Augenblick nach. »Darf ich Ihnen einen Vorschlag machen«, sagte er dann. »Leihen Sie mir die Kamera für eine Woche aus. Ich möchte sie in mein Schaufenster stellen. Dafür mache ich Ihnen so viele

Abzüge, wie Sie wünschen, und ich fotografiere gerne auch die ganze Familie.«

»Ich hätte es wissen können«, sagte Mr Brown, als sie nach Hause gingen. »Irgendetwas Merkwürdiges geschieht immer, wenn Paddington etwas unternimmt. Stellt euch nur vor – alle Fotos kostenlos!«

»Bären haben immer Glück«, sagte Mrs Bird und schaute Paddington an.

Doch der kleine Bär hörte nicht zu. Er dachte nur an seine Kamera.

Am nächsten Morgen eilte er in aller Frühe zum Fotoladen. Seine Kamera stand mitten im Schaufenster. Paddington war überglücklich. An der Kamera hing ein Schild und auf dem Schild war zu lesen:

EINER DER ÄLTESTEN FOTOAPPARATE,
SELTENES EXEMPLAR!
IM BESITZ VON
MR PADDINGTON BROWN

Fast noch mehr freute sich der kleine Bär aber über etwas anderes. Da hing noch ein zweites Schild und auf diesem Schild stand:

FAMILIE BROWN
AUFNAHME VON PADDINGTON BROWN

Und unter diesem Schild war seine Fotografie zu sehen.

Sie war ein bisschen verwackelt und an den Rändern sah man deutlich ein paar Pfotenabdrücke. Aber was machte das schon aus! Es war seine Fotografie! Und alle Leute in der Nachbarschaft bewunderten sie. Ein paar kamen sogar und gratulierten ihm. Sie sagten, die ganze Familie Brown und auch er selber seien deutlich darauf zu erkennen.

Der kleine Bär war zufrieden. Er fand, er habe sein Geld eigentlich gar nicht schlecht ausgegeben.

Ein kleiner Bär »ohne Beschäftigung«

Im ganzen Haus ging es drunter und drüber. Paddington seufzte und zog den Hut bis über die Ohren. Er wollte den Lärm nicht mehr hören. Wie sollte er da in Ruhe weiterschreiben?

Mr und Mrs Brown und auch Mrs Bird hatten eine Einladung zu einer Hochzeit erhalten. Damit hatte die ganze Aufregung angefangen. Glücklicherweise waren Jonathan und Judy nicht zu Hause, sonst wäre es überhaupt nicht zum Aushalten gewesen. Paddington war nicht eingeladen worden, aber das machte ihm nichts aus. Er liebte Hochzeitsfeste nicht besonders – außer der Hochzeitstorte, versteht sich! Von dieser würde er auf jeden Fall ein großes Stück bekommen, ob er nun auf der Hochzeit dabei war oder nicht. Das hatte Mrs Brown versprochen.

Der kleine Bär wünschte, alle sollten sich beeilen und möglichst schnell fortgehen. Er hatte nämlich einen ganz bestimmten Grund, warum er an diesem Tag allein sein wollte.

Er seufzte wieder und wischte die Feder sorgfältig an seinen Pfoten ab. Dann leckte er mit der Zunge ein paar Tintenflecken von der Tischplatte. Die Tintenflecken waren gerade rechtzeitig verschwunden, als die Tür aufgerissen wurde und Mrs Brown in das Zimmer stürzte.

»Ah, hier bist du, Paddington!«, rief sie. Plötzlich blieb sie stehen und starrte ihn an.

»Warum hast du denn im Zimmer deinen Hut auf?«, fragte sie. »Und warum ist deine Zunge so blau?«

Der kleine Bär streckte seine Zunge so weit heraus, bis er sie selbst sehen konnte. »Sie hat wirklich eine sonderbare Farbe«, gab er zu. »Vielleicht bin ich krank. Ich fühle mich sehr übel.«

»Du wirst dich noch viel übler fühlen, wenn du dieses Durcheinander nicht aufräumst«, sagte Mrs Bird, die ebenfalls hereinkam, streng. »Schau dir das an! Tintenfass, Leim, Papier! Und meine beste Stoffschere! Marmelade auf dem ganzen Teppich! Weiß der Himmel, was dieser Bär wieder vorhat!«

Paddington schaute sich um. Das Zimmer sah wirklich sehr unordentlich aus.

»Ich bin ja schon fast fertig«, brummte er. »Ich muss nur noch ein paar Linien ziehen und so weiter. Ich schreibe nämlich meine Lebensgeschichte.«

Paddington hatte sich tatsächlich vorgenommen, sein Leben aufzuschreiben. Er verbrachte Stunden damit, Bilder in sein Heft zu malen und seine Erlebnisse aufzuschreiben. Seit er bei den Browns lebte, hatte sich so viel ereignet. Sein Heft war schon zur Hälfte voll.

»Na, aber denk bloß daran, dass du alles aufräumst!«, meinte Mrs Brown. »Sonst bringen wir dir keine Hochzeitstorte mit. Und pass gut auf dich auf. Und wenn der Bäcker kommt, vergiss nicht: Wir brauchen zwei Brotlaibe!« Dann winkte sie zum Abschied und folgte Mrs Bird aus dem Zimmer.

»Ich weiß nicht«, sagte Mrs Bird, als sie ins Auto stiegen, »ich habe so ein komisches Gefühl. Dieser Bär hat heute sicher etwas vor. Er konnte es kaum erwarten, bis wir aus dem Haus waren.«

»Meinen Sie?«, fragte Mrs Brown. »Ich weiß nicht, was er anstellen könnte. Schließlich sind wir ja nicht lange fort.«

»Warten wir ab!«, erwiderte Mrs Bird Unheil verkündend. »Heute Morgen hat er sich fast die ganze Zeit oben auf der Treppe herumgetrieben. Ich bin sicher, er hat sich wieder etwas Besonderes ausgedacht.«

Mr Brown liebte Hochzeiten so wenig wie der kleine Bär. Insgeheim wünschte er sich, zu Hause bleiben zu dürfen. Er setzte sich ins Auto. Dann schaute er über die Schulter und sagte: »Vielleicht sollte ich doch daheimbleiben. Dann könnte ich Paddingtons Zimmer tapezieren und streichen.«

»Henry«, sagte Mrs Brown bestimmt, »du kommst mit und dabei bleibt es. Paddington kann ganz gut allein bleiben. Er kann auf sich selber aufpassen. Und warum willst du ausgerechnet heute sein Zimmer tapezieren? Zwei Wochen lang hast du keinen Finger gerührt. Das kann ruhig noch einen Tag länger warten.«

Paddingtons Zimmer war zu einem wunden Punkt in der Familie Brown geworden. Vor mehr als zwei Wochen hatte sich Mr Brown vorgenommen, das Zimmer für den kleinen Bären in Ordnung zu bringen. Er hatte die alten Tapeten von den Wänden gekratzt, die Tür- und Fensterrahmen abgeschmirgelt und hübsche Tapeten gekauft, außerdem Farbe und Tünche. Aber mehr war noch nicht geschehen.

Mrs Bird saß hinten im Auto. Sie tat, als hätte sie kein Wort dieser Unterhaltung gehört. Plötzlich war ihr nämlich ein entsetzlicher Gedanke gekommen. Sie hoffte, dass der kleine Bär nicht denselben Gedanken hatte. Mrs Bird ahnte besser als alle anderen, was im Kopf des kleinen Bären vor sich gehen konnte. Sie war immer auf das Allerschlimmste gefasst.

Und hätte sie gewusst, was Paddington soeben in sein Notizheft schrieb, dann wäre sie sofort aus dem Auto gestiegen. Denn Paddington hatte mit großen Buchstaben geschrieben: BIN OHNE BESCHÄFTIGUNG. Nach einer Weile strich er diesen Satz wieder durch und schrieb dafür hin: HABE HEUTE MEIN ZIMMER NEU TAPEZIERT!

Paddington kamen die besten Einfälle immer dann, wenn er »ohne Beschäftigung« und allein im Haus war. Das hatte er schon oft festgestellt.

Und warum war ihm das plötzlich eingefallen? Schon seit vielen Tagen stand alles, was ihm gehörte, in Kisten und Schachteln verpackt, bereit zum Umzug in das große Zimmer. Wenn er etwas von seinen Sachen brauchte, musste er immer diese Kisten oder Schachteln öffnen. Das war zum Heulen! Jetzt musste endlich etwas geschehen!

Den Satz HABE HEUTE MEIN ZIMMER NEU TAPEZIERT unterstrich er mit roter Tinte. Dann lief er die Treppe nach oben. Schon lange hatte er Mr Brown seine Hilfe angeboten, aber der hatte nichts davon hören wollen. Paddington durfte das Zimmer nicht einmal ansehen, weil Mr Brown Angst hatte, dass er einen Farbkübel umwerfen könnte oder dass er die Tapeten beschmutzte. Das konnte Paddington nicht verstehen. Wer konnte denn geschickter eine Leiter hinaufsteigen als ein Bär? Mr Brown war ja viel dicker und unbeweglicher.

Das große Zimmer war früher einmal ein Abstellraum gewesen, aber er wurde schon lange nicht mehr benutzt. Paddington trat ein. Er fand es hier noch aufregender, als er erwartet hatte.

Langsam schloss er die Tür hinter sich. Er schnüffelte. Es roch nach frischer Farbe und Gips. Aber das war nicht alles! Da gab es eine hohe Leiter, Pinsel, Tapetenrollen und einen großen Eimer voll Leim.

Eine Weile saß der kleine Bär mitten im Zimmer auf dem Boden. Er rührte im Leimtopf herum und betrachtete alle Dinge, die herumstanden.

Paddington wusste kaum, was er zuerst tun sollte. Schließlich entschied er sich, mit dem Malen anzufangen. Er wählte einen großen Pinsel und tauchte ihn tief in einen Farbtopf. Prüfend schaute er sich um. Womit sollte er beginnen?

Einige Minuten lang strich er den Fensterrahmen. Bald wünschte er, er hätte nicht mit dem Fensterrahmen angefangen. Der Pinsel war so schwer! Die Pfote tat ihm weh. Statt des Pinsels tauchte er die Pfote in die Farbe und strich damit weiter. Seltsamerweise floss nun mehr Farbe auf die Fensterscheibe als auf den Rahmen. Im Zimmer wurde es merklich dunkel.

»Vielleicht«, sagte Paddington und schwenkte den Pinsel in der Luft, »vielleicht sollte ich doch zuerst die Decke tünchen. Dann kann ich alle Farbtropfen an den Wänden mit den Tapeten verdecken.«

Und schon stand Paddington auf der obersten Sprosse der Leiter. Trotzdem reichte er kaum bis zur Decke

hinauf. Auch konnte er den schweren Kübel nicht hochheben. Wenn er den Pinsel hineintauchen wollte, musste er jedes Mal die Leiter herunterklettern. Kletterte er mit dem tropfenden Pinsel wieder hinauf, so rann die Tünche über seine Pfoten und verklebte sein Fell.

Paddington schaute im Zimmer umher. Alles war sehr farbig geworden. Das war nicht abzustreiten. Was würde Mrs Bird dazu sagen?

Aber in diesem Augenblick hatte Paddington eine großartige Idee. Ihm war eingefallen, wie er den Kübel mit Tünche auf die Leiter hinaufbringen könnte. »Ich muss es eben so wie die Arbeiter machen«, sagte er zu sich selbst.

Gegenüber wurde nämlich ein neues Haus gebaut. Paddington hatte den Arbeitern oft zugesehen. Diese mussten viel schwerere Dinge als einen vollen Farbeimer bis zum obersten Stockwerk bringen. Und wie taten sie es? Ganz einfach! Sie nahmen eine Seilwinde zu Hilfe. Damit zogen sie ihr Werkzeug und die schweren Zementkübel in die Höhe. Einmal hatte der kleine Bär sogar in einem der Kübel eine Fahrt bis ganz nach oben machen dürfen, weil er nämlich Mr Briggs, den Vorarbeiter, kannte. Paddington wusste genau, wie eine Seilwinde aussah. Er brauchte dazu nur ein Seil und eine Rolle, über die das Seil lief. Wo Mr Brown ein langes Seil aufbewahrte, wusste Paddington. Aber wie sollte er

das Seil an der Zimmerdecke befestigen? Er blickte hinauf. Genau in der Mitte der Zimmerdecke steckte ein alter Haken. Früher einmal hatte eine Lampe an ihm gehangen.

Paddington befestigte das Seil am Henkel des Eimers. Dann kletterte er die Leiter hinauf und schlang das andere Ende des Seils um den Haken. Nun hatte er seine Seilwinde! Wieder kletterte er hinunter. Aber auch mit Hilfe des Seils dauerte es lange, bis er den schweren Kübel in die Höhe gezogen hatte. Der Kübel war noch fast voll und er war wirklich schwer. Der kleine Bär musste zwischendrin ein wenig verschnaufen. Dann machte er sich wieder an die Arbeit und der Kübel schwebte immer höher und höher. Paddington war sehr froh. Zum letzten Mal wollte er verschnaufen. Er schloss die Augen und lehnte sich zurück. Noch ein einziger fester Ruck – und der Eimer hing oben an der Decke! Der kleine Bär schnaufte tief und zog kräftig am Seil. Doch plötzlich kam es ihm vor, als schwebe er in der Luft. Er streckte seine Pfote aus und fand keinen Halt. Er öffnete ein Auge. Vor Schreck hätte er fast das Seil losgelassen: An ihm vorbei sauste der Eimer in die Tiefe.

Alles schien auf einmal zu geschehen! Bevor er sich mit einer Pfote festhalten oder um Hilfe rufen konnte, prallte Paddington mit dem Kopf an die Zimmerdecke.

Mit einem noch lauteren Krach knallte der Eimer auf den Boden.

Ein paar Sekunden lang hing der kleine Bär in der Luft, verzweifelt strampelte er mit den Beinen. Auf einmal hörte er einen gurgelnden Laut. Er schaute hinunter: Die Tünche rann in dicken Strömen aus dem Kübel. So wurde der Kübel leichter und das Seil setzte sich langsam wieder in Bewegung. Dann schoss der Eimer in die Höhe, Paddington sauste in die Tiefe. Mit einem Plumps landete er in einem See weißer Tünche.

Aber die Leiden des kleinen Bären waren noch nicht zu Ende. Der Boden war glitschig, so dass Paddington ständig ausrutschte. Da ließ er das Seil los, der Eimer sauste auf ihn herab und stülpte sich über seinen Kopf.

Der kleine Bär lag wie betäubt am Boden. Dann schüttelte er seinen Kopf. Was war nur geschehen? Er schöpfte tief Atem, richtete sich mühsam auf und zog den Eimer von seinem Kopf weg. Aber er setzte ihn schnell wieder auf. Nein! Er wollte lieber nichts sehen. Ringsum schwamm weiße Tünche, aus den umgestürzten Farbtöpfen flossen kleine braune und grüne Bäche. Obenauf schwamm Mr Browns Arbeitsmütze. Paddington war sehr froh, dass er seinen Hut nicht mitgenommen hatte.

Eines war sicher, an diesem Tag würde er noch viel zu erklären haben. Aber wie? Er wusste ja selber nicht, was er falsch gemacht hatte.

Schließlich setzte sich Paddington auf den umgekehrten Farbeimer und dachte nach. Was konnte er tun? Sollte er die Wände trotzdem tapezieren? Er dachte: Wenn ich die Wände erstklassig tapeziere, dann bemerken sie die übrige Bescherung nicht.

Was das Tapezieren betraf, so vertraute Paddington seiner eigenen Tüchtigkeit. Er hatte Mr Brown schon früher dabei zugesehen. Es war ganz einfach. Man strich den Kleister auf die Rückseite der Tapetenbahn und klebte sie dann an die Wand. Sogar das Ankleben des oberen Tapetenteils war nicht so schwierig. Die Tapete wurde in der Mitte gefaltet. In die Knickstelle hielt man einen Besen. Nachher fuhr man mit dem Besen auf und ab, bis die Tapete glatt an der Wand klebte.

Der kleine Bär fühlte sich jetzt besser. In einem Topf stand der Kleister bereit. Paddington rollte die erste Tapete auf. Das war nicht so einfach. Er musste das Ende der Tapete mit den Pfoten vor sich her schieben. Hatte er aber das eine Ende der Tapete glücklich aufgerollt, rollte sich hinter ihm das andere Ende heimtückisch wieder ein. Schließlich gelang es ihm aber doch, eine Tapetenbahn mit Kleister zu bestreichen.

Er musste nur aufpassen, dass er nicht in die Tünche trat. Die Tünche hatte schon zu trocknen angefangen. Überall lagen dicke Klumpen umher.

Der kleine Bär schob den Besen unter die Tapete und hob sie auf. Die Tapete war endlos lang! So lang war sie ihm am Anfang gar nicht vorgekommen. Und noch bevor er merkte, was geschah, wickelte sich die Tapete um ihn. Nach einem kurzen Kampf gelang es ihm, sich zu befreien, und er marschierte in Richtung Zimmerwand los.

Dann trat er zurück und betrachtete prüfend sein Werk. Die Tapete war an einigen Stellen zerrissen. Eine ganze Menge Kleister klebte auch auf der Vorderseite. Aber Paddington war trotzdem sehr zufrieden mit

sich und seiner Arbeit. Jetzt wollte er es mit einer zweiten Bahn versuchen und danach mit einer dritten. So schnell ihn seine Beine tragen konnten, rannte er hin und her. Das Zimmer musste fertig tapeziert sein, wenn die Browns heimkamen.

Einige der Tapeten passten an den Rändern nicht zusammen, andere klebten an den Rändern übereinander. Fast alle Tapeten waren mit Kleister und Farbe verziert. Diese Flecken sahen sonderbar aus. Und keine der Tapetenrollen klebte gerade an der Wand! Aber Paddington brauchte nur den Kopf auf die Seite zu halten und die Augen zu rollen. Dann sah es gar nicht mal so schlecht aus.

Als er einen letzten Blick auf sein Werk warf, bemerkte er etwas Sonderbares. Das Zimmer hatte ein Fenster und es gab auch einen Kamin. Aber nirgends war auch nur das kleinste Zeichen einer Tür zu entdecken. Paddingtons Augen wurden größer und größer. Er wusste doch genau, dass es eine Tür gegeben hatte – wie wäre er sonst in das Zimmer gekommen! Blinzelnd betrachtete er die vier Wände. Er konnte alles nur undeutlich sehen. Die Farbe auf den Fensterscheiben war schon trocken geworden. Durch das Fenster fiel kaum mehr Tageslicht.

Eines aber sah der kleine Bär ganz genau – es gab keine Tür mehr in diesem Zimmer!

»Ich kann es nicht verstehen«, sagte Mr Brown, als er ins Wohnzimmer trat. »Ich habe überall nachgesehen und nirgends eine Spur von Paddington gefunden. Es wäre doch besser gewesen, wenn ich daheimgeblieben wäre.«

»Du liebe Zeit«, antwortete Mrs Brown, »hoffentlich ist ihm nichts zugestoßen. Er ist noch nie fortgegangen, ohne eine Nachricht zu hinterlassen.«

»Er ist nicht in seinem Zimmer«, sagte Judy.

»Mr Gruber weiß auch nicht, wo er ist«, fügte Jonathan hinzu. »Ich war gerade auf dem Marktplatz. Am

Morgen haben sie miteinander Kakao getrunken. Seitdem hat er ihn nicht mehr gesehen.«

»Wissen Sie, wo Paddington ist?«, fragte Mrs Brown, als Mrs Bird eintrat, um den Tisch für das Abendessen zu decken.

»Keine Ahnung, wo er sich herumtreibt«, sagte Mrs Bird. »Ich habe genug Ärger mit der Wasserleitung. Ein vermisster Bär fehlt gerade noch! Ich glaube, in den Röhren sind Luftblasen. Seitdem wir zurück sind, klopft es wie verrückt in ihnen.«

Mr Brown lauschte einen Augenblick. »Es klingt wirklich wie Luft in der Wasserleitung«, sagte er, »nur ... es ist nicht regelmäßig genug.« Er trat auf die Diele hinaus. »Sonderbar! Ein dumpfer Schlag nach dem anderen ...?«

»Ich hab's«, schrie Jonathan. »Seid still! ... Jemand funkt S.O.S.«

Zuerst sahen sich alle verblüfft an und dann riefen sie wie aus einem Mund: »Paddington!«

»Oh, Gott!«, sagte Mrs Bird, als sie durch die tapetenverklebte Tür vordrang. »Es muss ein Erdbeben gegeben haben oder etwas Ähnliches. Und entweder ist das Paddington oder es ist sein Geist.« Sie zeigte auf eine kleine, weiße Gestalt, die von einem umgestülpten Eimer aufstand.

»Ich konnte die Tür nicht mehr finden«, sagte der kleine Bär kläglich. »Ich glaube, ich habe sie zugeklebt, als ich das Zimmer tapezierte. Sie war da, als ich hereinkam. Ich erinnere mich genau. Deshalb klopfte ich mit dem Besenstiel auf den Fußboden.«

»Du lieber Gott!«, sagte Jonathan. »Hier sieht es aber herrlich aus!«

»Du … hast … sie zugeklebt … als du … das Zimmer … tapeziert hast …«, wiederholte Mr Brown. Manchmal dauerte es bei ihm einige Zeit, bis er etwas begriff.

»Ja«, sagte Paddington. »Es sollte eine Überraschung sein.« Er streckte die Pfote aus und wies auf sein Werk. »Ich fürchte, es sieht noch ein bisschen unordentlich aus. Aber es ist schließlich noch nicht trocken.«

Langsam fing Mr Brown zu begreifen an. Mrs Bird kam dem kleinen Bären zu Hilfe. »Nun«, sagte sie, »es hat jetzt alles keinen Sinn mehr. Was geschehen ist, ist geschehen. Und wenn Sie mich fragen, Mr Brown, so bin ich sogar froh darüber. Nun wird vielleicht endlich ein richtiger Tapezierer die Arbeit machen.« Sie fasste Paddingtons Pfote und führte ihn aus dem Zimmer.

»Was dich betrifft, junger Bär – du wirst augenblicklich in ein heißes Bad gesteckt, bevor all der Kleister und das andere Zeug hart wird.«

Mr Brown schaute Mrs Bird und dem kleinen Bären

nach. Dann blickte er auf die Fußspuren und Pfotenabdrücke. »Bären!«, sagte er nur.

Nach dem Bad lief der kleine Bär lange Zeit in seinem Zimmer herum. Er wartete bis zur letztmöglichen Minute, bevor er hinunter zum Abendessen ging. Er hatte das unangenehme Gefühl, in Ungnade gefallen zu sein. Zu seiner Überraschung aber wurde das Wort »Tapezieren« den ganzen Abend nicht mehr erwähnt.

Noch seltsamer war es, dass verschiedene Leute zu ihm kamen, als er im Bett saß und seinen Kakao trank. Jeder von ihnen drückte ihm einen Schilling in die Hand. Das alles war sehr sonderbar. Aber der kleine Bär fragte lieber nicht, warum sie sich so seltsam aufführten.

Judy löste schließlich das Rätsel, als sie zu ihm kam, um ihm Gute Nacht zu sagen.

»Ich glaube, Mama und Mrs Bird haben dir einen Schilling gegeben, weil sie wollen, dass Papa mit dem Tapezieren aufhört«, erklärte sie. »Er fängt alles an und macht nie etwas fertig. Und ich denke, Papa gab dir den Schilling, weil er keine Lust mehr hat weiterzuarbeiten. Nun werden sie einen Maler und Tapezierer bestellen und alle sind glücklich!«

Der kleine Bär schlürfte nachdenklich seinen Kakao. »Vielleicht bekomme ich wieder einen Schilling«, sagte er, »wenn ich noch ein anderes Zimmer tapeziere.«

»Das wirst du nicht tun!«, sagte Judy streng. »Du hast genug angestellt! Wenn ich du wäre, würde ich das Wort ›Tapezieren‹ lange Zeit nicht mehr aussprechen.«

»Wahrscheinlich hast du recht«, sagte der kleine Bär und streckte müde die Pfoten aus. »Aber ich war wirklich ohne Beschäftigung.«

Mr Browns Riesenkürbis

Schließlich war das neue Zimmer des kleinen Bären doch fertig geworden.

Paddington fand, dass er ein sehr glücklicher Bär sei, weil er in ein so schönes Zimmer ziehen durfte. Türen und Fensterrahmen waren strahlend weiß gestrichen. Er konnte sich fast darin spiegeln. Die Wände waren hell und fröhlich tapeziert.

»Auf das Geld soll es uns nicht mehr ankommen!«, hatte Mr Brown gesagt. Und er hatte dem kleinen Bären ein funkelnagelneues Bett gekauft mit extra kurzen Beinen und einer Sprungfedermatratze. Außerdem erhielt Paddington einen kleinen Schrank für seine verschiedenen Schätze.

Auch Mrs Brown war verschwenderisch gewesen. Sie hatte einen dicken Wollteppich gekauft. Auf diesen Teppich war der kleine Bär besonders stolz. Er breitete sorgfältig alte Zeitungen darüber, denn er wollte den Teppich mit den Pfoten nicht schmutzig machen.

Mrs Bird hatte rot gestreifte Vorhänge aufgehängt. Sie gefielen dem kleinen Bären sehr gut. Am liebsten hätte er sie den ganzen Tag lang angeschaut! Die erste Nacht in seinem Zimmer war aufregend. Besonders wegen der Vorhänge! Sollte er sie zuziehen oder sollte er sie nicht zuziehen wegen der Aussicht?

Paddington wanderte einige Male zwischen dem Bett und dem Fenster hin und her. Er zog die Vorhänge zu und zog sie wieder auf. Schließlich entschloss er sich, einen Vorhang zu schließen und den anderen nicht.

Vorsichtshalber legte der kleine Bär seine Taschenlampe neben das Bett. Man konnte ja nie wissen, ob man nicht nachts einmal aufstehen musste!

Es war schon dunkel im Zimmer. Paddington lag in seinem Bett, knipste die Taschenlampe ein und aus und bewunderte die geschlossene Vorhangseite. Aber was war das? Kaum knipste er die Taschenlampe an, fiel ein schwacher Lichtschein von irgendwo draußen durch das Fenster.

Der kleine Bär setzte sich auf, rieb sich die Augen und starrte auf das Fenster. War jemand im Garten? Mitten in der Nacht?

Ich werde ein schwieriges Signal versuchen, beschloss er, und er blinkte zwei Mal kurz und dann ein paar Mal lang. Vor Überraschung fiel er beinahe aus dem Bett. Jedes seiner Signale wurde genau gleich beantwortet.

Paddington sprang aus dem Bett und stürzte zum Fenster. Lange Zeit stand er dort und starrte in den Garten. Nichts Verdächtiges war zu entdecken. Trotzdem prüfte er sorgfältig, ob das Fenster auch wirklich fest verschlossen war. Dann flüchtete er sich ins Bett und zog die Decke bis über die Ohren. Es war alles sehr geheimnisvoll. Es war fast unheimlich! Unter der Decke fühlte er sich wieder sicher. Auf keinen Fall würde er noch einmal zum Fenster gehen.

Als Paddington am nächsten Morgen aufwachte, musste er sofort wieder an das seltsame nächtliche Geschehen denken. Was um alles in der Welt hatten die Signale bedeutet? Nachdenklich saß er am Frühstückstisch. Da hörte er, wie Mr Brown sagte: »Jemand hat heute Nacht meinen größten Kürbis gestohlen!«

Dem kleinen Bären fiel fast der Löffel aus der Hand. Heute Nacht? Mr Brown verkündete ärgerlich: »Jemand muss im Garten gewesen sein! Mein schönster Kürbis ist fort!«

Schon seit einigen Wochen pflegte Mr Brown sorgfältig einen besonders großen Kürbis für die Gemüse-Ausstellung. Er goss ihn jeden Morgen und jeden Abend. Und bevor er zu Bett ging, maß er die Länge.

Mrs Brown warf Mrs Bird einen Blick zu. »Mach dir nichts daraus, Henry«, sagte sie. »Du hast noch ein paar andere, die genauso groß sind.«

»Aber ich mache mir etwas daraus!«, brummte Mr Brown. »Die anderen werden niemals so groß! Mindestens nicht rechtzeitig für die Gemüse-Ausstellung.«

»Vielleicht war es jemand, der nicht möchte, dass du den ersten Preis bekommst. Es war wirklich ein prima Kürbis!«, meinte Jonathan.

»Das ist möglich«, sagte Mr Brown. »Ich wäre nicht abgeneigt, eine kleine Belohnung auszuschreiben.«

Mrs Bird goss Tee nach. Es sah aus, als wollten sie und Mrs Brown lieber von etwas anderem sprechen. Paddington aber spitzte die Ohren. Ein gestohlener Kürbis? Eine Belohnung? Schnell schlang er sein Marmeladenbrot hinunter. Für eine dritte Tasse Tee hatte er keine Zeit mehr. Das war zwar schade, aber er hatte es eilig. Er entschuldigte sich und verschwand nach oben.

Als Mrs Brown in der Küche das Geschirr abtrocknete, bemerkte sie etwas Sonderbares im Garten.

»Mrs Bird!«, rief sie und ließ vor Erstaunen beinahe eine Tasse fallen. »Sehen Sie nur! Hinter dem Kohlbeet! Was um alles in der Welt ist das?«

Mrs Bird schaute ebenfalls aus dem Fenster. Sie sah etwas Braunes, Formloses, das sich auf und ab bewegte. Lachend sagte sie: »Das ist doch Paddington! Ich würde seinen alten Hut überall erkennen.«

»Paddington?«, wiederholte Mrs Brown. »Aber warum kriecht er auf allen vieren im Kohlbeet umher?«

»Vielleicht hat er etwas verloren«, sagte Mrs Bird.

»Was hat er denn da in der Hand? Ist das nicht Mr Browns Vergrößerungsglas?«

Mrs Brown seufzte. »Nun ja, wir werden es ja bald erfahren, was los ist.«

Der kleine Bär hatte keine Ahnung, dass er beobachtet wurde. Er saß hinter einem Himbeerstrauch, zog einen kleinen Notizblock hervor und schlug eine Seite auf. Sie trug die Überschrift: DER VERSCHWUNDENE KÜRBIS. LISTE DER VERDÄCHTIGEN SPUREN.

Vor ein paar Tagen hatte der kleine Bär eine Detektivgeschichte gelesen, die ihm Mr Gruber geliehen hatte.

War das jetzt nicht seine große Gelegenheit? Geheimnisvolle Lichtsignale in der Nacht? Ein verschwundener Kürbis? Jetzt konnte er beweisen, dass er ebenso tüchtig war wie ein wirklicher Detektiv.

Bisher war er allerdings eher enttäuscht. Im Garten

hatte er zwar Fußspuren gefunden, aber alle führten zum Haus zurück. Das konnten nicht die Diebe gewesen sein. Von Mr Browns großem Kürbis war gar nichts zurückgeblieben. An der Stelle, wo er im Gras gelegen hatte, lagen nur zwei tote Käfer und ein leeres Papiersäckchen.

Trotzdem schrieb Paddington alles sorgfältig in seinen Notizblock. Er zeichnete auch einen Plan des Gartens auf. Dort, wo der Kürbis gelegen hatte, malte er ein großes X hin. Später ging der kleine Bär im Zimmer auf und ab und dachte nach. Er machte außerdem eine Skizze des neuen Hauses, das auf der anderen Seite des Gartens gebaut wurde. Bestimmt waren die Lichtsignale in der Nacht von dorther gekommen.

Paddington holte sein Opernglas, stellte sich ans Fenster und schaute zum Bauplatz hinüber. Lange blieb er am Fenster stehen. Aber er sah nur Arbeiter.

Wenig später schlüpfte der kleine Bär heimlich aus dem Haus und eilte zum Markt. Zu seinem Glück sah niemand, wie er das Haus verließ, und niemand sah, wie er zurückkam. Er trug ein großes Paket unter dem Arm und seine Augen funkelten aufgeregt. Er kletterte leise die Treppe hinauf, ging in sein Zimmer und schloss die Tür sorgfältig hinter sich ab. Er lauschte. Nirgendwo war etwas zu hören.

Mit klopfendem Herzen beugte er sich über sein Paket. Pakete waren immer sehr interessant. Seine Pfoten zitterten vor Aufregung. Endlich hatte er die Schnur aufgeknüpft, endlich konnte er das Packpapier zurückschlagen. Eine längliche, bunte Schachtel kam zum Vorschein. Auf dem Deckel stand: AUSRÜSTUNG FÜR MEISTERDETEKTIVE.

Vor ein paar Tagen hatte Paddington diese Meisterdetektiv-Ausrüstung in einem Spielwarengeschäft gesehen. Ein Detektiv musste doch eine richtige Ausrüstung haben! Aber der Preis war sehr hoch. Sechs Schilling!

Ach, dachte Paddington, sechs Schilling sind zwar sechs Schilling – aber wie interessant ist das alles! Er leerte den Inhalt der Schachtel auf den Fußboden. Was war da nicht alles drin: ein langer, schwarzer Bart, eine Brille mit dunklen Gläsern, eine Polizeipfeife. Auch ein paar Flaschen kamen zum Vorschein. Auf den Flaschen

stand: VORSICHT BEIM GEBRAUCH! Der kleine Bär legte sie geschwind in die Schachtel zurück. Und da war noch ein Stempelkissen für Fingerabdrücke! Ja, sogar eine Flasche mit unsichtbarer Tinte fehlte nicht.

Es war eine herrliche Ausrüstung für jemanden, der ein Detektiv war. Der kleine Bär schrieb seinen Namen mit der unsichtbaren Tinte auf den Schachteldeckel. Nicht das Geringste war davon zu sehen! Er drückte die Pfoten auf das Stempelkissen. Dann kroch er ins Bett. Unter dem Kopfkissen versteckt, blies er ein paar Mal laut auf der Trillerpfeife. Ach, hätte er es nur in der umgekehrten Reihenfolge getan! Seine Pfoten hatten Tintenabdrücke auf dem Kopfkissen hinterlassen. Gewiss war es schwierig, das den anderen zu erklären.

Das Beste von allem war aber doch der Bart. Er hatte

zwei Drahtschlingen, mit denen man ihn an den Ohren befestigen konnte. Als Paddington fertig verkleidet war, lief er zum Spiegel. Als er sein Spiegelbild sah, fuhr er vor Schreck zusammen. Das war doch gar nicht er selber! Er hatte den alten Hut bis zu den Ohren heruntergezogen. Jonathans alter Regenmantel hing bis auf den Boden herab, Bart und Brille sahen unheimlich aus. Er besah sich von allen Seiten im Spiegel. Ganz gewiss, niemand würde ihn erkennen. Er musste es sofort ausprobieren.

Es war schwierig, die Treppe hinunterzusteigen. Der kleine Bär stolperte immer wieder über den langen Saum des Regenmantels. Abgesehen davon passten entweder seine Ohren nicht für die Bartschlingen oder die Drahtschlingen passten nicht für seine Ohren. Vielleicht sollte er die Treppe rückwärts hinuntersteigen? Er hielt mit der einen Pfote den Bart fest, mit der anderen das Stiegengeländer. Auf einmal stand Mrs Bird hinter ihm. Er hatte sie nicht kommen hören.

Mrs Bird fuhr zusammen. Fast wäre sie über den kleinen Bären gestolpert.

»Da bist du ja, Paddington«, sagte sie dann gefasst. »Ich wollte gerade zu dir hinaufkommen. Könntest du nicht auf den Markt gehen und ein halbes Pfund Butter kaufen?«

»Ich bin nicht Paddington«, antwortete eine raue Stimme unter dem Bart hervor. »Ich bin Sherlock Holmes, der Detektiv.«

»Gewiss, mein Lieber«, sagte Mrs Bird, »aber vergiss die Butter nicht. Wir brauchen sie zum Mittagessen.« Sie drehte sich um und ging in die Küche zurück. Die Tür schloss sich hinter ihr. Der kleine Bär hörte Stimmen aus der Küche.

Er riss sich enttäuscht den Bart herunter. »Sechs Schilling!«, brummte er. »Für nichts und wieder nichts!« Sollte er ins Geschäft gehen und sein Geld zurückverlangen? Sechs Schilling waren immerhin sechs Schilling. Er hatte lange Zeit dafür sparen müssen.

Aber wäre es nicht jammerschade um die schöne Verkleidung? Zwar hatte sich Mrs Bird nicht täuschen lassen. Mrs Bird war eben Mrs Bird. Sie ließ sich nie täuschen. Doch vielleicht erkannte ihn Mr Briggs nicht, der Vorarbeiter. Der kleine Bär beschloss, noch einen zweiten Versuch zu machen. Er war doch nun ein Detektiv. Vielleicht entdeckte er jetzt auch etwas Verdächtiges.

Auf dem Weg zum Neubau war er sehr zufrieden mit seiner Verkleidung. Alle Leute auf der Straße starrten ihn an. Paddington warf verstohlene Blicke um sich. Tatsächlich, jedermann schien sich vor ihm zu fürchten. Alle eilten so schnell wie möglich auf die andere Straßenseite, sobald er ihnen einen Blick über den Rand seiner dunklen Brillengläser zuwarf.

Da war auch schon der Bauplatz. Der kleine Bär schlich die Hausmauer entlang. Nun hörte er Stimmen. Kamen sie nicht aus einem offenen Fenster im ersten Stock? War das nicht die Stimme von Mr Briggs? An der Mauer lehnte eine Leiter. Der kleine Bär kletterte die Sprossen hinauf, bis sein Kopf auf gleicher Höhe mit dem Fensterbrett war. Dann lugte er vorsichtig hinein.

Mr Briggs und seine Männer standen um einen Ofen. Sie kochten Tee. Der kleine Bär starrte Mr Briggs an. Jetzt war der große Augenblick gekommen. Noch einmal schnell den Bart zurechtgerückt! Und nun die

Polizeipfeife! Er steckte sie in sein Maul und stieß einen schrillen Pfiff aus.

Mr Briggs sprang auf und ließ seine Tasse fallen. Mit zitternder Hand zeigte er zum Fenster.

»Himmel!«, schrie er. »Schaut!«

Mit offenen Mündern folgten die anderen seinem Blick. Paddington sah noch vier bleiche Gesichter, bevor er auf allen vier Pfoten die Leiter hinunterglitt. Er versteckte sich hinter einem Stoß Ziegel. Gleich darauf hörte er aufgeregte Stimmen am Fenster.

»Nichts mehr zu sehen«, sagte jemand. »Vom Erdboden verschwunden!«

»Himmel!«, wiederholte Mr Briggs und wischte sich mit einem getupften Taschentuch die Stirn. »Was immer es war, ich will es nicht mehr wiedersehen. Was kann es nur gewesen sein? Das will mir nicht in meinen Kürbis!« Er tippte sich an den Kopf und schlug das Fenster zu.

Es war ganz still geworden. Mit klopfendem Herzen hockte der kleine Bär hinter seinem Ziegelstoß. Was hatte Mr Briggs gesagt? Kürbis? Er wollte seinen Ohren nicht trauen. Hatte Mr Briggs den Kürbis gestohlen? Nein, das konnte nicht wahr sein! Nicht im Traum hätte Paddington je daran gedacht, dass Mr Briggs und seine Männer in diese Sache verwickelt sein könnten.

Aber er hatte doch ganz deutlich gehört, wie Mr Briggs »Kürbis« gesagt hatte!

Verwirrt strich er seinen Bart zurecht und schob die Brille auf die Nasenspitze. Dann holte er seinen Notizblock aus der Tasche. Mit der unsichtbaren Tinte kritzelte er etwas in den Block. Nachdenklich setzte er seinen Weg zum Markt fort.

Es war doch ein sehr erfolgreicher Tag für einen Detektiv gewesen. Doch nun kam erst das schwerste Stück seiner Arbeit. Er musste den Kürbis finden und den Dieb entlarven. Aber wie? Und wo? Am ehesten wohl auf dem Bauplatz. Am Abend, wenn alles ruhig war, wollte Paddington noch einmal hinübergehen.

Es war Mitternacht. Alle im Hause Brown waren längst zu Bett gegangen.

Als die Glocke gerade zwölf Uhr schlug, erwachte Mrs Brown. Sie schüttelte ihren Mann und sagte: »Ich habe so ein merkwürdiges Gefühl. Vielleicht ist mit Paddington etwas los.«

»Das ist gar kein merkwürdiges Gefühl«, antwortete Mr Brown schläfrig. »Mit Paddington ist immer irgendetwas los. Was soll es diesmal sein?«

»Das ist es ja!«, sagte Mrs Brown. »Ich weiß es auch nicht. Aber heute früh ist er mit einem falschen Bart herumgelaufen. Und er schrieb den ganzen Abend lang in sein Notizbuch. Und weißt du, was?«

»Nein«, sagte Mr Brown gähnend. »Was denn?«

»Als ich über seine Schulter schaute, stand nichts im Notizblock!«

»Nun ja, Bären sind Bären«, antwortete Mr Brown. Er streckte seine Hand nach dem Lichtschalter aus, lauschte einen Augenblick und sagte dann: »Nanu? Ich könnte schwören, dass ich gerade eine Polizeipfeife hörte.«

»Unsinn, Henry«, sagte Mrs Brown. »Jetzt hast du geträumt.«

Mr Brown brummte etwas Unverständliches und knipste das Licht aus. Er war viel zu müde, um darüber zu streiten, aber er war sicher, dass er eine Polizeipfeife gehört hatte. Er schloss die Augen und war bald wieder eingeschlafen.

Es hatte sich viel ereignet, seitdem der kleine Bär im Schutz der Dunkelheit aus dem Haus zum Bauplatz geschlichen war. Beinah wünschte er sich nun, er wäre niemals Detektiv geworden. Endlich, nachdem er mehrmals laut und schrill gepfiffen hatte, tauchte ein großer, schwarzer Wagen vor ihm auf. Er war sehr froh, als zwei Männer in Uniform ausstiegen.

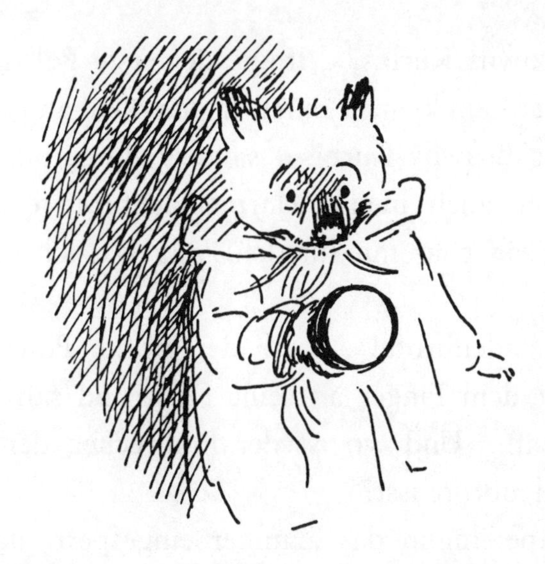

»He!«, sagte der eine und schaute Paddington streng an. »Was geht hier vor?«

Paddington wies aufgeregt, aber würdevoll auf den Rohbau des Hauses. »Ich habe einen Einbrecher gefangen«, verkündete er.

»Einen – was?«, fragte der zweite Polizist und schaute verwundert auf Paddington hinab. Seitdem er Polizist war, hatte er manche absonderlichen Dinge erlebt. Aber noch nie war er mitten in der Nacht einem Bären begegnet. Und dieser Bär trug dazu noch einen schwarzen Bart und einen Regenmantel. Das war höchst ungewöhnlich.

»Ich glaube, der Einbrecher ist derjenige, der Mr Browns Kürbis gestohlen hat.«

»Mr Browns Kürbis?«, fragte der erste Polizist verwirrt, als er dem kleinen Bären in den Neubau folgte.

»Ja, Mr Browns Kürbis«, sagte Paddington. »Und nun hat er auch meine Marmeladenbrote erwischt. Ich nahm ein paar mit für den Fall, dass ich hungrig würde.«

»Marmeladenbrote!«, sagte der zweite Polizist. Er tippte mit dem Finger an seine Stirn und sah seinen Kollegen an. »Und wo ist der Einbrecher, der deine Marmeladenbrote isst?«

»Ich habe ihn in das Zimmer eingesperrt und ein Stück Holz gegen die Tür gestemmt, damit er nicht herauskann. Mein Bart klebte an meinem Marmeladenbrötchen fest – deshalb habe ich die Taschenlampe angeknipst. In diesem Augenblick ist es passiert.«

»Was ist passiert?«, fragten die Polizisten. Sie fanden es ziemlich schwierig, dem kleinen Bären in seiner Erzählung zu folgen.

»Jemand leuchtete vor dem Fenster mit einer Taschenlampe herum«, erklärte Paddington so geduldig, wie er nur konnte. »Dann hörte ich, wie jemand die Treppe heraufschlich, und ich legte mich in den Hinterhalt.« Er zeigte auf eine Tür oben im Stiegenhaus. »Er ist da drin.«

Bevor die Polizisten noch weitere Fragen stellen

konnten, hörten sie ein lautes Klopfen und jemand schrie wütend:

»Lasst mich heraus!«

»Himmel!«, rief der erste Polizist. »Da ist tatsächlich jemand drinnen!« Er schaute den kleinen Bären mit plötzlichem Respekt an. »Können Sie ihn beschreiben, Mr …?«

»Er ist ungefähr zwei Meter groß«, antwortete Paddington unbekümmert, »und er war sehr wütend, als er entdeckte, dass er nicht mehr herauskonnte.«

»Hmm«, sagte der zweite Polizist. »Darum werden wir uns gleich kümmern. Vorsicht!« Er stieß das Stück Holz weg, riss die Türe auf und leuchtete mit seiner Stablaterne in den Raum.

Paddington und die beiden Polizisten wichen zurück und waren auf das Schlimmste gefasst. Zu ihrem Erstaunen war der Mann, der herauskam, ebenfalls ein Polizist.

»Eingesperrt!«, rief er zornig. »Ich sehe Licht in einem leeren Haus, ich gehe hinein und will nachschauen … und was geschieht? Ich werde eingesperrt … von diesem Bären!« Er zeigte auf Paddington.

Der kleine Bär fühlte sich plötzlich sehr ungemütlich. Alle drei Polizisten starrten ihn an und in der Aufregung war sein Bart von einem Ohr heruntergerutscht.

»Hmm«, sagte der erste Polizist. »Was hast du mitten in der Nacht in einem leeren Haus zu suchen? Und noch dazu verkleidet! Es scheint, wir müssen dich mitnehmen.«

»Es ist ein bisschen schwierig zu erklären«, sagte Paddington niedergeschlagen. »Ich fürchte, es wird nicht so schnell gehen. Wissen Sie, es ist wegen Mr Browns Kürbis – dem Kürbis für die Gemüse-Ausstellung, meine ich ...«

Die Polizisten waren nicht die Einzigen, die es ziemlich schwierig fanden, alles zu verstehen. Lange nachdem der kleine Bär wieder in die sichere Obhut der Familie Brown übergeben worden war, stellte Mr Brown noch immer Fragen.

»Es will mir nicht in den Kopf, was mein verschwundener Kürbis damit zu tun haben soll, dass Paddington eingesperrt wurde«, sagte er zum hundertsten Mal.

»Paddington wurde nicht eingesperrt, Henry«, sagte Mrs Brown. »Er musste auf die Polizeiwache, um Auskunft zu geben. Schließlich hat er doch nur versucht, den Kürbis für dich zurückzubekommen. Du solltest ihm dankbar sein.«

Sie seufzte. Früher oder später musste sie ihrem Mann die Wahrheit sagen. Dem kleinen Bären hatte sie schon alles erklärt. »Ich fürchte, es ist alles meine Schuld, Henry«, sagte sie. »Ich habe nämlich den Kürbis aus Versehen abgeschnitten …«

»Du?«, rief Mr Brown aus. »Du warst es, die meinen Kürbis …!«

»Mein Lieber«, antwortete Mrs Brown, »ich hatte keine Ahnung, dass es ausgerechnet *dieser* Kürbis war. Du weißt doch, wie gern du gefüllten Kürbis isst! Gestern Abend haben wir ihn aufgegessen.«

Oben in seinem kleinen Zimmer stieg Paddington sehr zufrieden ins Bett. Am nächsten Morgen wollte er seinem Freund, Mr Gruber, die Geschichte erzählen. Auf dem Polizeiposten hatte er zuerst alles ganz genau berichten müssen. Und dann hatte ihm der Inspektor gratuliert und angeordnet, ihn sofort freizulassen.

»Gäbe es nur mehr mutige Bären wie Sie, Mr Brown!«, hatte der Inspektor gesagt. Und dann hatte er dem kleinen Bären eine echte Polizeipfeife zum Andenken gegeben. Sogar der Polizist, der eingesperrt gewesen war, hatte Freundschaft mit Paddington geschlossen.

Außerdem hatte der kleine Bär endlich das Geheimnis der nächtlichen Lichtsignale gelöst. Es war überhaupt niemand im Garten gewesen – nur der Schein seiner eigenen Taschenlampe hatte sich im Fenster gespiegelt. Wenn er am Fußende des Bettes stand, konnte er sich sogar selbst ganz deutlich im Glas sehen.

Dennoch war der kleine Bär ein wenig traurig über den Ausgang der Geschichte. Vor allem, weil er jetzt keine Belohnung mehr bekommen würde. Aber er war doch sehr froh, dass Mr Briggs nicht der Dieb war. Er hatte Mr Briggs gern – und Mr Briggs hatte ihm wieder eine Luftfahrt im Zementkübel versprochen. Und darauf wollte Paddington auf keinen Fall verzichten.

Von Raketen und einer Superstrohpuppe

Bald nach dem Kürbis-Detektiv-Abenteuer änderte sich das Wetter. Es wurde kälter. Die Blätter fielen von den Bäumen. Abends wurde es früh dunkel. Jonathan und Judy waren wieder in der Schule und der kleine Bär war tagsüber fast immer allein.

Eines Morgens gegen Ende Oktober kam ein Brief an, auf dessen Umschlag sein Name stand. Daneben war noch vermerkt: »Dringend! Streng privat!« Der kleine Bär erkannte Jonathans Schrift. Paddington bekam nicht viele Briefe. Nur manchmal erhielt er eine

Ansichtskarte von seiner Tante Lucy in Peru. Deshalb war dieser Brief sehr aufregend. Und es war ein ziemlich geheimnisvoller Brief, Paddington wurde nicht recht klug daraus. Jonathan bat ihn, alle dürren Blätter im Garten auf einen Haufen zu fegen. Dieser Berg aus dürren Blättern sollte so groß wie nur möglich sein, wenn Jonathan in ein paar Tagen aus dem Internat nach Hause kommen würde.

Der kleine Bär zerbrach sich lange vergeblich den Kopf darüber. Schließlich beschloss er, Mr Gruber um Rat zu fragen. Mr Gruber wusste fast über alles Bescheid, und wenn er eine Frage nicht sofort beantworten konnte, schaute er in einem der vielen Bücher in seinem Antiquitätenladen nach. Er und Paddington führten oft lange Gespräche über dies und das miteinander.

»Geteiltes Leid ist halbes Leid«, pflegte Mr Gruber zu sagen. »Und ich muss gestehen, seitdem du in unserer Gegend wohnst, fehlt es mir nie an Gründen, um in meinen Büchern nachzuschlagen.«

Gleich nach dem Frühstück zog Paddington seinen Mantel an, band sich den warmen Schal um und holte die Einkaufsliste von Mrs Bird. Dann wanderte er mit seinem Einkaufskorb auf Rädern in die Portobello Road.

Der kleine Bär ging gern einkaufen. Und er war bei allen Händlern beliebt, obwohl er ein geschäftstüchtiger Kunde war. Er verglich zuerst immer alle Preise, bevor er die Waren auswählte. Mrs Bird sagte, das Haushaltsgeld reiche bei ihm zweimal so weit wie bei jedem anderen.

Im Freien war es noch kälter, als der kleine Bär es erwartet hatte. Als er vor einem Geschäft stehen blieb, ließ sein Atem den unteren Teil des Auslagenfensters milchig anlaufen. Der Besitzer des Ladens starrte ihn durch das Fenster an. Doch Paddington war ein höflicher Bär. Schnell wischte er mit der Pfote das angelaufene Glas wieder blank. Es konnte ja sein, dass andere Leute auch hineinschauen wollten. Dabei bemerkte er, dass sich das Schaufenster verändert hatte, seitdem er das letzte Mal vorbeigegangen war.

Sonst war es immer voll mit Schokolade und Süßigkeiten gewesen. Nun war alles verschwunden. Stattdessen saß eine zerlumpte Strohpuppe auf einem kleinen Holzstoß. Die Strohpuppe hielt ein Plakat in der Hand. Darauf stand:

VERGESST NICHT DEN 5. NOVEMBER!
SCHIESSPULVER, HOCHVERRAT UND
VERSCHWÖRUNG!

Darunter war in noch größeren Buchstaben geschrieben:

KAUFT FEUERWERKSKÖRPER!

Ein paar Minuten lang studierte der kleine Bär alles sehr sorgfältig. Dann eilte er weiter zum Antiquitätenladen. Nur ganz kurz hielt er sich beim Bäcker auf, um Brötchen abzuholen.

Seitdem es so kalt geworden war, saß Mr Gruber am Morgen nicht mehr vor seinem Geschäft. Stattdessen hatte er hinten im Laden neben dem Ofen ein Sofa aufgestellt. War das eine gemütliche Ecke! Dem kleinen Bären gefiel es dort nicht ganz so gut wie im Freien, denn das Sofa war schon alt und an einigen Stellen stach das Rosshaar durch den Überzug. Doch eigentlich machte das nicht viel aus. Ob draußen oder am Ofen, bei Mr Gruber war es immer schön. Sie tranken Kakao und aßen Brötchen. Paddington erzählte von dem seltsamen Schaufenster.

»Schießpulver, Hochverrat und Verschwörung?«, sagte Mr Gruber und reichte dem kleinen Bären eine zweite Tasse Kakao. »Ja, freilich! Jetzt kommt doch der Guy-Fawkes-Tag!«

Der kleine Bär sah ihn verwirrt an. Mr Gruber lächelte entschuldigend und putzte sich den Dampf von seinen Brillengläsern.

»Ich vergesse immer«, sagte er, »dass du aus dem dunkelsten Peru kommst. Sicher weißt du nicht, wer Guy Fawkes war.«

Paddington wischte sich mit der Pfote die Reste des Kakaos von den Barthaaren. Er schüttelte den Kopf. Nein, er hatte keine Ahnung. Wer sollte das sein? Guy Fawkes? So ein komischer Name!

»Nun«, fuhr der alte Herr fort. »Aber ein Feuerwerk hast du schon einmal gesehen? An Festtagen gibt es doch auch in Südamerika Feuerwerke, nicht wahr?«

Der kleine Bär nickte. Natürlich erinnerte er sich daran. Tante Lucy hatte ihn einmal zu einem Feuerwerk mitgenommen. Er war damals noch sehr klein gewesen, aber es hatte ihm ausnehmend gut gefallen.

»Wir haben nur einmal im Jahr ein Feuerwerk«, sagte Mr Gruber, »am 5. November nämlich.« Und dann erzählte er dem kleinen Bären alles über die Verschwörung vor vielen, vielen Jahren, als Männer versucht hatten, das Parlament in London in die Luft zu sprengen. Unter den Verschwörern war ein Mann, der hieß Guy Fawkes. »Erst im allerletzten Augenblick ist die Verschwörung aufgedeckt worden. Seither feiert man jedes Jahr die Rettung des Parlaments. Die Kinder ziehen mit Strohpuppen durch die Straßen. Freudenfeuer werden angezündet, die Strohpuppen werden verbrannt und man schießt Feuerwerkskörper in die Luft.«

Mr Gruber konnte alles so gut erklären, dass Paddington alles gut verstehen konnte.

Mr Gruber seufzte. »Es ist lange her, seitdem ich selbst Feuerwerk abbrannte«, sagte er, »sehr, sehr lange her!«

»Nun, Mr Gruber«, sagte der kleine Bär, »ich denke, wir werden zusammen ein Feuerwerk abbrennen. Sie müssen zu uns kommen.«

Mr Gruber war über diese Einladung sehr glücklich. Der kleine Bär aber brach eiligst auf. Er wollte schnell zu dem Laden zurück und dort die Feuerwerkskörper genauer ansehen.

Als er das Geschäft betrat, schaute ihn der Besitzer

prüfend an. »Feuerwerkskörper?«, fragte er. »Ich weiß nicht, ob man Bären mit Feuerwerkskörpern bedienen darf.«

Paddington warf ihm einen wilden Bärenblick zu. »Im dunkelsten Peru«, sagte er und dachte an das, was Mr Gruber ihm erzählt hatte, »da hatten wir an jedem Festtag ein Feuerwerk.«

»Das mag sein«, antwortete der Mann, »aber hier sind wir nicht im dunkelsten Peru. Was möchtest du – Raketen oder die andere Sorte?«

»Ich glaube, für den Anfang möchte ich solche, die ich in der Pfote halten kann«, sagte Paddington.

Der Mann zögerte. »In Ordnung«, sagte er schließlich, »ich werde dir ein Päckchen meiner allerbesten Funkensprüher geben. Aber wenn du dir die Barthaare versengst, komm ja nicht gelaufen. Du bekommst dein Geld nicht mehr zurück.«

Der kleine Bär versprach, vorsichtig zu sein. Zufrieden eilte er nach Hause. Als er um die letzte Straßenecke bog, stieß er mit einem kleinen Jungen zusammen, der einen Kinderwagen schob.

Der Junge streckte ihm eine Kappe hin, in der einige Kupfermünzen lagen. »Einen Penny für Guy«, sagte er.

»Herzlichen Dank«, sagte der kleine Bär und nahm einen Penny aus der Kappe. »Das ist nett von dir.«

»He!«, rief der Junge, als Paddington weiterging. »Du sollst mir einen Penny *geben* und nicht einen *nehmen.*«

Der kleine Bär starrte ihn an. »Ich soll dir einen Penny geben?«, fragte er und glaubte, seinen Ohren nicht zu trauen. »Wofür?«

»Für das Feuerwerk natürlich«, sagte der Junge. »Ich hab's doch gesagt – einen Penny für Guy!« Er zeigte auf den Kinderwagen. Erst jetzt bemerkte Paddington, dass eine sonderbare Gestalt im Wagen lag. Sie war in einen alten, schäbigen Anzug gekleidet und trug eine Maske. Sie glich jener Puppe, die er am Morgen im Schaufenster gesehen hatte.

»Wenn du keinen Penny geben willst«, sagte der kleine Junge, »warum bastelst du dir dann nicht einen eigenen Guy? Du brauchst nur einen alten Anzug und ein bisschen Stroh.«

Nachdenklich setzte der kleine Bär seinen Weg nach Hause fort. Beim Mittagessen vergaß er beinahe, um eine zweite Portion Pudding zu bitten.

»Ich hoffe, er hat nicht wieder eine seiner Ideen«, sagte Mrs Brown, als sich der kleine Bär entschuldigte und im Garten verschwand. »Es sieht ihm gar nicht ähnlich, dass man ihn ans Essen erinnern muss. Er isst doch Pudding so gern.«

»Bestimmt ist ihm wieder etwas eingefallen«, meinte Mrs Bird unheilvoll. »Ich kenne das!«

»Die frische Luft wird ihm guttun«, sagte Mrs Brown und schaute aus dem Fenster. Sie entdeckte den kleinen Bären, der mit einem großen Besen Laub zusammenfegte. »Es ist nett von ihm, dass er Blätter zusammenfegt. Der Garten sieht wirklich unordentlich aus.«

»Es ist November«, sagte Mrs Bird. »Guy Fawkes!«

»Oh!«, sagte Mrs Brown. »Du liebe Güte!«

Eine Stunde lang arbeitete Paddington vergnügt im Garten. Bald lag mitten im Kohlbeet ein großer Haufen dürrer Blätter. Der Blätterberg war beinahe doppelt so groß wie der kleine Bär. Paddington setzte sich müde in ein Blumenbeet und rastete. Auf einmal spürte er, dass ihn jemand beobachtete. Er schaute auf und sah Mr Curry, der misstrauisch über den Zaun blickte. Mr Curry liebte Bären nicht besonders und Paddington schon gar nicht. Er lauerte darauf, dass der kleine Bär irgendetwas tat, über das er sich bei Mr Brown beschweren konnte! Die Browns wollten so wenig wie möglich mit ihm zu tun haben.

»Was treibst du, Bär?«, fuhr er Paddington an. »Hoffentlich wirst du diesen Blätterhaufen nicht anzünden!«

»O nein«, sagte der kleine Bär freundlich. »Den brauche ich für den Guy-Fawkes-Tag.«

»Feuerwerk!«, sagte Mr Curry verdrießlich. »Diese lästige Knallerei! Nur um andere Leute zu erschrecken.«

»Zünden Sie denn kein Feuerwerk an, Mr Curry?«, fragte Paddington höflich.

»Feuerwerk!« Mr Curry schaute den kleinen Bären verächtlich an. »Das kann ich mir nicht leisten. Reine Geldverschwendung. Und eins lass dir gesagt sein: Wenn nur eine Rakete in meinen Garten fällt, dann melde ich es der Polizei.«

Ein schlaues Funkeln kam in Mr Currys Augen. Vorsichtig schaute er umher. Es war niemand da, der ihn hören konnte. »Aber wenn ihr ein Fest macht und mich einladet, dann ist das natürlich eine andere Sache.«

Paddingtons Gesicht wurde länger und länger. Schließlich hingen seine Barthaare traurig herab, denn er wusste, dass niemand in der Familie Brown Mr Curry einladen würde.

»So etwas nenne ich unverschämt«, sagte Mrs Bird, als sie hörte, dass Mr Curry sich selbst eingeladen hatte. »Einem kleinen Bären mit der Polizei Angst einzujagen! Und nur, weil Mr Curry zu geizig ist, um sich selbst Raketen zu kaufen! Ein Glück für ihn, dass er damit nicht zu mir kam. Ich hätte ihm meine Meinung schon gesagt.«

»Armer Paddington«, sagte Mrs Brown. »Er sah ganz verstört aus. Wo ist er nun?«

»Ich weiß es nicht«, antwortete Mrs Bird. »Er ist verschwunden, er sucht Stroh. Wahrscheinlich braucht er es für das Feuer.«

Sie kam wieder auf den geizigen Mr Curry zu sprechen. »Wenn ich nur daran denke, wie oft unser kleiner Bär Aufträge für ihn erledigt hat! Die Pfoten hat er sich fast durchgelaufen für ihn!«

»Er nutzt nur andere Leute aus«, gab Mrs Brown zu. »Heute Morgen hat er sogar seinen alten Anzug auf unsere Türschwelle gelegt, damit ihn jemand in die Wäscherei mitnimmt.«

»Tatsächlich?«, rief Mrs Bird grimmig. »Nun, das werden wir bald abstellen!« Sie eilte zur Haustür und rief: »Auf der Türschwelle, haben Sie gesagt?«

»Ja, in der Ecke.«

»Es ist nichts mehr da«, rief Mrs Bird. »Irgendjemand hat den Anzug weggenommen.«

»Merkwürdig«, sagte Mrs Brown. »Es hat niemand geklingelt oder geklopft. Und der Bote von der Wäscherei war noch gar nicht da. Das ist mir ein Rätsel.«

»Es geschieht ihm ganz recht, wenn jemand den Anzug mitgenommen hat«, sagte Mrs Bird. »Das wird ihm eine Lehre sein!« Trotz ihres strengen Aussehens war Mrs Bird eine herzensgute Person. Sie konnte aber sehr böse werden, wenn Leute andere ausnutzten, besonders wenn es sich um den kleinen Bären handelte.

»Lassen wir es«, sagte Mrs Brown. »Das wird sich aufklären. Ich werde Paddington danach fragen, wenn er zurückkommt.«

Aber der kleine Bär blieb heute lange fort. Als er schließlich heimkam, hatte Mrs Brown den alten Anzug von Mr Curry längst vergessen. Es war bereits dunkel, als Paddington leise durch die Hintertür in den Garten trat. Er schob seinen Einkaufskorb vor sich her. Beim kleinen Schuppen blieb er stehen. Dann versuchte er, etwas aus dem Korb zu ziehen. Endlich gelang es ihm. Es war etwas Großes und er verstaute es hinter dem Rasenmäher in der Ecke. Außerdem trug Paddington eine kleine Schachtel bei sich. Wenn er sie schüttelte, klapperte es jedes Mal.

Der kleine Bär schloss das Schuppentor. Er legte die Schachtel in den Korb und stülpte seinen Hut darüber. Dann schlich er sich aus dem Garten und eilte zur Vordertür. Er war sehr zufrieden mit sich. An diesem Tag hatte er gute Arbeit geleistet. Es war besser gegangen, als er es erwartet hatte. Bevor er diese Nacht zu Bett ging, schrieb er einen langen Brief an Jonathan und erzählte ihm alles.

»Hey, Paddington!«, rief Jonathan ein paar Tage später, als sie alles für das Feuerwerk vorbereiteten. »Was für eine Supermenge von Raketen!« Er guckte in die Schachtel, die von Feuerwerkskörpern fast überquoll. »Ich habe noch niemals so viele Raketen auf einmal gesehen.«

»Ehrenwort, Paddington«, sagte Judy bewundernd. »Jeder wird glauben, dass du auf der Straße Geld gesammelt hast.«

Der kleine Bär machte mit seiner Pfote eine vieldeutige Bewegung. Er zwinkerte Jonathan zu, aber bevor er

Zeit hatte, auch Judy alles zu erklären, kam Mr Brown ins Zimmer. Er trug einen dicken Mantel und Gummischuhe. »Alles in Ordnung?«, fragte er. »Seid ihr fertig? Mr Gruber wartet in der Halle. Mrs Bird hat die Sessel schon auf die Veranda gestellt.«

Mr Brown schien das Feuerwerk kaum erwarten zu können. Neidisch schaute er auf Paddingtons Schachtel.

»Das ist Paddingtons erster Guy-Fawkes-Tag«, sagte er, als sie im Garten waren. Er gebot mit seiner Hand Schweigen. »Ich bin der Meinung, dass Paddington die erste Rakete anzünden darf.«

»Einverstanden!«, rief Mr Gruber und klatschte in die Hände.

Der kleine Bär schaute nachdenklich in die Schachtel. Da lagen so viele Raketen, große mit einem spitzen Hütchen und einem Stab und kleine, die man in der Hand halten konnte.

Es war schwierig zu entscheiden, mit welcher Sorte man beginnen sollte.

»Ich glaube, ich fange mit einem Funkensprüher an«, meinte der kleine Bär.

Mr Curry rümpfte die Nase: »Langweilige Dinger, diese Funkensprüher.« Er hatte sich bereits in den besten Sessel gesetzt und stopfte sich dauernd Marmeladenbrötchen in den Mund, die gar nicht für ihn bestimmt waren.

»Wenn Paddington mit einem Funkensprüher anfangen will, dann soll ihm niemand dreinreden«, sagte Mrs Bird giftig und warf Mr Curry einen eisigen Blick zu.

Mr Brown reichte Paddington die Streichholzschachtel. Bald sprühten zischend Funkengarben in die Nacht. Der kleine Bär schwenkte den Funkensprüher ein paar Mal über seinen Kopf. Dann bewegte er ihn auf und ab und schrieb Buchstabe um Buchstabe

P – A – D – I – N – G – T – O – N

in die Luft. Alle klatschten Beifall.

»Wirklich sehr eindrucksvoll«, sagte Mr Gruber.

»Aber es hat ein D gefehlt«, nörgelte Mr Curry, den Mund voller Marmeladenbrot. Paddington warf ihm einen wilden Bärenblick zu, aber weil es so dunkel war, verfehlte der wilde Bärenblick seine Wirkung. Dafür zündete der kleine Bär eine große Rakete an, die er so schräg hielt, dass sie knapp an der großen Nase von Mr Curry vorbei in den Himmel zischte. Der gurgelte nur ein paar zornige Laute aus seinem Hals, denn vor lauter Schreck war ihm ein Bissen in die falsche Kehle geraten. Er hustete und würgte, während ihm Jonathan hart auf den Rücken klopfte, bis Mr Curry schrie: »Hör doch auf mit deinem verdammten Geklopfe. Du brichst mir noch das Rückgrat.«

Judy kicherte, Mrs Bird hielt sich das Taschentuch vors Gesicht, so musste sie lachen. Mr Brown hatte das Gesicht abgewendet und selbst um Mrs Browns Mund zuckte es verdächtig.

»Wollen wir nicht das Feuer anzünden?«, sagte Mr Brown hastig. »Dann können wir alle sehen, was wir tun.« Die dürren Blätter raschelten, als er sich niederbeugte und das Zündholz anstrich.

»Das ist viel gescheiter«, sagte Mr Curry und rieb die Hände. »Auf dieser Veranda zieht es ziemlich. Und zu essen gibt es anscheinend auch nichts mehr in diesem Haus.« Er schaute zu Mrs Bird hinüber.

»Nein, es gibt nichts mehr für Sie!«, sagte Mrs Bird. »Sie haben gerade das letzte Stück aufgegessen.« Leise sagte sie: »Und nicht einmal so viel wie ein winziges, kleines, leuchtendes Rad hat er selbst mitgebracht!«

»Er verdirbt alles«, flüsterte Mrs Brown. »Dabei haben wir uns so auf diesen Abend gefreut. Ich hätte gute Lust ...« Was immer Mrs Brown hatte sagen wollen, ging in einem lauten Schrei unter. Er kam aus der Richtung des Schuppens.

»Wahnsinn!«, schrie Jonathan. »Warum hast du uns nichts davon gesagt?«

»Was hätte er uns denn sagen sollen?«, fragte Mr Brown. Er versuchte, seine Aufmerksamkeit zwischen einer Leuchtkugel, die gerade verzischt war, und dem geheimnisvollen Gegenstand zu teilen, den Jonathan aus dem Schuppen zerrte.

»Es ist eine Guy-Fawkes-Strohpuppe«, rief Judy fröhlich.

»Eine Superstrohpuppe noch dazu!«, rief Jonathan. »Sie sieht wie ein richtiger Mensch aus. Gehört sie dir, Paddington?«

»Oh«, sagte der kleine Bär. »Ja ... und nein.« Er sah ziemlich verwirrt aus. In der Aufregung hatte er die Strohpuppe ganz vergessen, mit der er auf den Straßen Geld für das Feuerwerk gesammelt hatte. Er war sich nicht sicher, ob die anderen davon wissen durften. Auf keinen Fall wollte er Fragen darüber hören.

»Eine Guy-Fawkes-Strohpuppe?«, sagte Mr Curry. »Dann gehört sie ins Feuer.« Er blinzelte durch den Rauch auf die Puppe. Aus irgendeinem merkwürdigen Grund kam sie ihm bekannt vor, aber er wusste nicht recht, warum.

»O nein«, sagte der kleine Bär hastig. »Ich glaube nicht, dass Sie das tun wollen. Wirklich, ich glaube, es ist besser, wenn Sie es nicht tun.«

»Unsinn!«, sagte Mr Curry. »Ich habe schon bemerkt, dass du keine Ahnung hast, wie man in England den 5. November feiert. Alle Strohpuppen werden in dieser Nacht verbrannt.« Er schob die anderen zur Seite. Mit Hilfe von Mr Browns Gartenrechen stellte er die Strohpuppe hoch hinauf auf den brennenden Blätterhaufen.

»So ist es besser«, rief er, trat zurück und rieb seine Hände. »Das nenne ich ein richtiges Feuer!«

Mr Curry starrte lange und angestrengt in das flackernde Feuer. Dieser Anzug, den die Strohpuppe trug, kam ihm plötzlich bekannt vor. Es wurde ihm ganz seltsam zumute. »Es … es scheint eine sehr gut angezogene Strohpuppe zu sein«, bemerkte er. Dann zuckte er zusammen, machte einen Schritt vorwärts und sah sich die Strohpuppe genauer an. Jetzt, da das Feuer wirklich hell und flackernd brannte, konnte man alles ganz deutlich unterscheiden. Die Hosen loderten fröhlich. Die Jacke begann gerade zu glosen. Mr Curry sprangen die Augen aus dem Kopf. Mit zitternden Händen zeigte er auf die Flammen und stotterte: »Das ist ja mein Anzug! Mein Anzug! Es ist der, den Sie in die Reinigung hätten geben sollen.«

»Was?«, rief Mr Brown. Alle wandten sich um und schauten den kleinen Bären an.

Paddington war nicht weniger erstaunt als alle anderen. Es war das erste Mal, dass er von Mr Currys Anzug hörte.

»Ich habe ihn auf der Türschwelle gefunden«, sagte er. »Ich dachte, man hätte ihn für die Müllabfuhr hingelegt.«

»Für die Müllabfuhr?«, schrie Mr Curry außer sich vor Wut. »Für den Trödler? Meinen besten Anzug! Ich … ich …« Mr Currys Stimme überschlug sich. Er brachte kein Wort mehr heraus und wusste nicht, was er noch sagen sollte. Dafür wusste es Mrs Bird umso besser.

»Um die Sache richtigzustellen«, sagte sie, »es war nicht Ihr bester Anzug. Soviel ich weiß, wurde er schon mindestens zehnmal in die Reinigung gegeben. Und Paddington hatte ganz bestimmt keine Ahnung, dass es Ihr Anzug war. Auf jeden Fall«, endete sie triumphierend, »wer hat denn vorgeschlagen, dass die Strohpuppe angezündet wird? Wer, frage ich?«

Mr Brown bemühte sich, nicht zu lachen. Dann sah er, wie Mr Gruber ihm zuzwinkerte. »Sie waren es, Mr Curry!«, sagte er. »Sie wollten unbedingt die Puppe verbrennen. Paddington hat ja versucht, Sie daran zu hindern.«

Einen Augenblick lang kämpfte Mr Curry mit sich. Wütend schaute er von einem zum anderen. Dann warf er einen letzten zornigen Blick auf die Gesellschaft und schlug die Tür hinter sich zu.

»Herrje«, lachte Mr Gruber, »ich muss gestehen, es ist nie langweilig, wenn unser kleiner Bär hier ist.« Dann griff er unter seinen Sessel und zog eine Schachtel hervor. »Ich bin dafür, das Feuerwerk fortzusetzen. Und für den Fall, dass uns die Raketen ausgehen sollten, habe ich hier noch ein paar mitgebracht.«

»Nanu, das ist ein komischer Zufall«, meinte Mr Brown und langte ebenfalls unter seinen Sessel. »Ich habe nämlich auch ein paar hier.«

Jedermann in der Nachbarschaft war begeistert von diesem Abend. Es wurde das schönste Feuerwerk, das alle seit vielen Jahren erlebt hatten. Immer mehr Leute kamen als Zuschauer. Einige Male sah man sogar Mr Curry hinter seinen Vorhängen hervorlugen.

Schließlich hob der kleine Bär seine müde Pfote. Er schwenkte den letzten Funkensprüher in der Luft und schrieb das Wort E – N – D – E.

Und alle waren sich darüber einig, dass es noch nie zuvor ein so großartiges Feuerwerk gegeben hatte – und eine so gut angezogene Guy-Fawkes-Strohpuppe.

Winter ist es, wenn es schneit

An jenem Abend war es sehr kalt geworden. Bevor Paddington ins Bett ging, öffnete er das Fenster einen Spalt weit und guckte hinaus. Vielleicht war noch irgendwo eine Rakete zu sehen. Durch den Fensterspalt drang eiskalte Luft. Er schnüffelte, schloss hastig das Fenster, sprang ins Bett und zog die Decke bis über die Ohren.

Am Morgen wachte er früher als gewöhnlich auf. Er zitterte vor Kälte. Was war das nur? Seine Barthaare waren ganz steif. Fröstelnd kroch er unter die Decke. Eine Weile blieb er liegen. Ob das Frühstück schon zubereitet war? Schließlich sprang er aus dem Bett, schlüpfte in seinen Mantel und stapfte ins Badezimmer.

Dort machte er höchst merkwürdige Entdeckungen. Am Abend zuvor hatte er ganz ordentlich sein feuchtes Handtuch aufgehängt. Jetzt fühlte es sich kalt und steif wie ein Brett an, und als er es vom Haken nehmen wollte, gab es knacksende Laute von sich. Nun, vielleicht konnte er das steife Handtuch im Wasser aufweichen. Er drehte den Wasserhahn auf, aber kein Tröpfchen Wasser floss heraus.

»Fein«, brummte er, »dann muss ich mich heute wenigstens nicht waschen!«

Er eilte in sein Zimmer zurück. Es war ganz dunkel im Zimmer. Er zog die Vorhänge zurück, aber es wurde nicht heller. Die ganze Scheibe war mit einer weißen Schicht überzogen. Als er die Schnauze dagegen presste, spürte er, dass es Eis war. Der kleine Bär hauchte die Scheibe an und rieb mit seinen Pfoten darüber. Als das Loch im Eis genügend groß war, spähte er in den Garten. Was war das? Alles war weiß. Man konnte den Gartenweg und die Beete gar nicht mehr sehen. Über allem lag eine dicke, weiße Decke. Und vom Himmel fielen merkwürdige kleine, weiße Flöckchen. Die waren wohl schuld daran, dass alles so weiß war.

Er stürzte die Treppe hinunter. Das musste er Judy

und Jonathan erzählen! Unten saß die ganze Familie um den Frühstückstisch. Paddington fuchtelte aufgeregt mit den Pfoten und schrie, alle sollten aus dem Fenster schauen.

»Du lieber Himmel!«, rief Mr Brown und schaute von seiner Morgenzeitung auf. »Was ist denn jetzt wieder los?«

»Seht doch!«, stieß der kleine Bär aufgeregt hervor und zeigte in den Garten. »Alles ist weiß!«

Judy warf den Kopf zurück und lachte. »Das ist schon in Ordnung, Paddington. Das ist doch Schnee. Jedes Jahr schneit es im Winter.«

»Schnee?«, fragte der kleine Bär und schaute verwirrt aus. »Was ist Schnee?«

»Eine lästige Plage«, sagte Mr Brown verdrießlich. Er war an diesem Morgen nicht in bester Laune. Er hatte nicht erwartet, dass es so rasch kalt werden würde. Im oberen Stock war die Wasserleitung eingefroren. Und die Straße war noch nicht geräumt.

»Schnee?«, sagte Judy. »Nun ja, das ist ... so eine Art gefrorener Regen. Er ist sehr weich.«

»Prima für Schneebälle!«, rief Jonathan. »Nach dem Frühstück zeig ich dir, wie es gemacht wird. Wir können auch gleich die Wege freischaufeln.«

Paddington setzte sich an den Frühstückstisch und

faltete seine Serviette auseinander. Er konnte kaum seine Augen vom Fenster abwenden.

»Paddington«, fragte Mrs Brown, »hast du dich heute im Mantel gewaschen?«

»Katzenwäsche«, sagte Mrs Bird, als sie ihm den Teller mit dampfendem Haferflockenbrei reichte. »Möchte wetten, das Wasser war mehr für die Katz als für seine Pfoten.«

Der kleine Bär hörte nicht zu, was sie sagten. Er war viel zu sehr über den rätselhaften Schnee verwundert. Wäre doch das Frühstück schon vorüber!, dachte er. Wenn ich alles auf einmal auf den Teller nehme, dann werde ich bestimmt früher mit dem Frühstück fertig. Er streckte eine Pfote nach dem Speck mit Eiern aus, mit der anderen wollte er sich ein Marmeladenbrot nehmen. Da traf ihn Mrs Birds strenger Blick. Nein, da war nichts zu machen!

»Paddington«, sagte Mrs Brown, »heute Morgen müssen wir unseren Gehsteig vom Schnee freischaufeln. Wie wäre es, wenn du bei Mr Curry anfangen würdest? Das wäre nett von dir. Wir wissen alle, dass die Geschichte mit dem Anzug gestern Abend nicht deine Schuld war, aber du kannst ihm nun deinen guten Willen zeigen.«

»Gute Idee!«, rief Jonathan. »Wir helfen dir dabei.

Prima, so viel Schnee! Am Nachmittag bauen wir einen Schneemann. Was sagst du dazu, Paddington?«

Der kleine Bär war ganz verwirrt und nickte nur.

»Werft ja keine Schneebälle und lärmt nicht!«, warnte Mrs Bird. »Mr Curry schläft mit offenem Fenster – sogar im Winter. Wenn ihr ihn aufweckt, wird er noch schlechter gelaunt sein.«

Der kleine Bär, Jonathan und Judy versprachen feierlich, keine Schneebälle zu werfen und ganz still zu sein. Gleich nach dem Frühstück zogen sie Mützen und Handschuhe an und rannten ins Freie.

Schnee war eine gute Sache, dachte der kleine Bär. Der Schnee war so fein und weich. Und wie tief sank man darin ein! Er hatte sich vorgestellt, dass Schnee bitterkalt war. Aber er war gar nicht so kalt. Nur wenn Paddington lange auf dem gleichen Fleck stehen blieb, begann er zu frieren. Schon nach ein paar Minuten eilten alle drei mit Schaufeln und Besen auf dem Weg zu Mr Currys Haus.

Jonathan und Judy begannen mit dem Gehsteig. Der kleine Bär wollte Mr Currys Gartenweg freischaufeln. Der war nicht so breit wie der Gehsteig.

Paddington hatte einen Eimer und eine Schaufel geholt. Er füllte den Eimer mit Schnee. Dann schüttete er den Schnee über den Zaun in den eigenen Garten. Dort wollten sie ja nachher den Schneemann bauen.

Schneeschaufeln war eine schwere Arbeit. Der Schnee lag tief. Sobald man ein Stück freigeschaufelt hatte, rutschte der Schnee wieder nach und man musste von vorne anfangen. Unermüdlich schaufelte Paddington, füllte den Eimer und leerte ihn wieder aus. Es kam ihm vor, als hätte er schon viele Stunden lang gearbeitet. Jetzt wollte er ein bisschen verschnaufen. Aber kaum hatte er sich auf den Eimer gesetzt, als ihn etwas am Hinterkopf traf. Beinahe fiel sein Hut herunter.

»Getroffen!«, jauchzte Jonathan. »Los, Paddington! Mach auch ein paar Schneebälle! Wir sind fertig mit dem Gehsteig. Jetzt machen wir eine richtige Schneeballschlacht.«

Der kleine Bär sprang von seinem Eimer auf und nahm hinter Mr Currys Gartenschuppen Deckung. Von Mrs Bird war weit und breit nichts zu sehen. Paddington bückte sich und hob eine Hand voll Schnee auf. Dann presste er den Schnee zu einem harten Ball. Er hielt ihn fest in der rechten Pfote, zielte sorgfältig und drückte dann die Augen zusammen.

»Du hast mich haushoch verfehlt!«, schrie Jonathan, als der kleine Bär die Augen wieder öffnete.

Der kleine Bär stand hinter Mr Currys Gartenschuppen und kratzte sich am Kopf. Wohin war der Schneeball geflogen? Ich muss es noch einmal versuchen, dachte er. Ich werde mich um das Haus schleichen, ganz leise. Jonathan hat keine Ahnung, wenn ich von der anderen Seite komme.

Mit einem Schneeball in den Pfoten schlich er auf den Zehenspitzen an Mr Currys Hintertür vorbei. Plötzlich bemerkte er, dass die Tür offen stand. Der Wind wehte den Schnee in den Hausgang. Auf der Türmatte lag schon ein kleiner Schneeberg. Einen Augenblick zögerte der kleine Bär. Dann zog er die Tür zu. War sie auch wirklich zu? Sorgfältig vergewisserte er sich mit der Pfote. Bestimmt hatte Mr Curry keine Freude daran, wenn der ganze Gang voller Schnee war.

Als Paddington um die vordere Hausecke spähte, sah er zu seinem Erstaunen Mr Curry. Er trug einen Morgenmantel über seinem Pyjama. Er fror und war offensichtlich zornig. Jetzt unterbrach er sein Gespräch mit Judy und Jonathan und wandte sich zu dem kleinen Bären um.

»Aha, da ist ja dieser nichtsnutzige Bär!«, schrie er. »Bist du es, der Schneebälle geworfen hat?«

»Schneebälle?«, wiederholte der kleine Bär und versteckte rasch die Pfote hinter dem Rücken.

»Ja«, sagte Mr Curry. »Schneebälle! Vor einer Minute kam ein riesengroßer durch mein Schlafzimmerfenster und landete auf meinem Bett. Wenn du das mit Absicht getan hast, dann …«

»O nein, Mr Curry«, sagte Paddington, »ich würde so etwas nie mit Absicht tun. Ich glaube nicht, dass ich

es tun könnte. Es ist sehr schwierig, Schneebälle mit der Pfote zu werfen, besonders so große wie der da.«

»Wie der da?«, fragte Mr Curry misstrauisch.

»Wie der auf Ihrem Bett«, stotterte Paddington und sah immer verwirrter aus. Wenn doch Mr Curry nur wieder ins Haus ginge! Der Schneeball in Paddingtons Pfote fühlte sich kälter und kälter an.

»Hmm«, brummte Mr Curry. »Ich denke nicht daran, hier in der Kälte stehen zu bleiben und mich über Bärenpfoten zu unterhalten. Ich kam hierher, um meine Meinung zu sagen. Nehmt euch in Acht!« Aber dann schaute er doch beifällig auf den geräumten Gehsteig.

Er wandte sich zum Gehen und brummte etwas milder: »Für das da bekommt ihr einen Penny, wenn ihr fertig damit seid; einen Penny für euch alle drei natürlich.« Und schon war Mr Curry um die Hausecke gewackelt.

»Einen Penny! Dieser alte Geizkragen!«, rief Jonathan.

»Nun, wenigstens ist er wieder besänftigt. Stell dir vor, wenn er das mit dem Schneeball auf dem Bett Papa erzählt hätte.«

Paddington hatte eine andere Meinung. Er war nicht ganz sicher, ob Mr Curry für lange Zeit besänftigt sei.

Er hatte noch nicht zu Ende gedacht, als er einen lauten Wutschrei Mr Currys hörte.

»Was ist denn jetzt schon wieder los?«, rief Judy.

Man hörte Mr Currys Schimpfen und ein lautes Gepolter gegen die Tür.

»Klingt genauso, als trommle der Geizkragen gegen seine Haustür«, sagte Jonathan.

»Ich wollte ihm ja nur einen Gefallen tun«, brummte der kleine Bär zerknirscht.

»Was für einen Gefallen?«, fragte Judy.

»Der Wind hat Schnee in den Gang geweht, da habe ich gedacht, es sei besser, wenn die Tür zu ist.«

»Oje, Paddington«, rief Judy, »jetzt kann Mr Curry gewiss nicht ins Haus hinein.«

»Soll dem Geizkragen nur der große Zeh abfrieren«, rief Jonathan und rannte davon, denn er ahnte nichts Gutes. Auch Judy rannte davon und der kleine Bär folgte ihnen.

Aber da schoss schon mit wehendem Mantel Mr Curry um die Ecke.

»Lausbuben! Elendes Bärenpack! Polizei!« Seine Stimme überschlug sich vor Zorn, aber als er niemanden mehr sah, verstummte er. Mr Curry starrte die Straße entlang. Keine Menschenseele war zu sehen. Kopfschüttelnd wandte er sich wieder um und trottete dem Haus zu.

Wäre Mr Curry nicht so aufgeregt gewesen, hätte er vielleicht die Spuren im Schnee gesehen. Eine Bärenpfotenspur und zwei Fußspuren zeigten deutlich, wohin Paddington, Judy und Jonathan gerannt waren. In einiger Entfernung nämlich teilten sich die Spuren. Die Spur der Kinder führte zum Haus der Familie Brown, die Bärenpfotenspur führte zu Mr Grubers Laden.

Paddington hatte mehr als genug von Mr Curry. Diesem Griesgram konnte man auch gar nichts recht machen. Außerdem war es schon elf Uhr. Und er hatte Mr Gruber versprochen, um elf bei ihm im Laden zu sein. Und später wollten sie ja einen Schneemann bauen!

»Wirklich, mir kommt vor, als wäre Mr Curry nicht mehr ganz richtig im Kopf«, sagte Mrs Brown zu Mrs Bird. »Heute Morgen stand er vor seinem Haus, nur in Pyjama und Mantel – bei dieser Kälte! Und dann lief er um sein Haus und fuchtelte mit den Armen in der Luft herum.«

»Hmm«, antwortete Mrs Bird, »kurz zuvor sah ich Paddington in seinem Garten mit Schneebällen spielen.«

»Du lieber Himmel!«, sagte Mrs Brown. Sie schaute aus dem Fenster. Der Himmel war klar geworden. Der weiße Garten mit all den Bäumen, die sich unter der Last des Schnees beugten, sah aus wie ein Bild auf einer Weihnachtskarte. »Alles ist so ruhig«, sagte sie, »viel zu ruhig! Bestimmt passiert noch etwas.«

Mrs Bird folgte ihrem Blick. »Sie haben einen wunderschönen Schneemann gemacht. Ich habe noch nie einen so schönen gesehen.«

»Ist das nicht Paddingtons alter Hut, den sie ihm aufgesetzt haben?«, fragte Mrs Brown. Sie wandte sich um. Die Tür hatte sich geöffnet und Jonathan und Judy traten ein.

»Habt ihr einen schönen Schneemann gemacht«, sagte Mrs Bird.

»Das ist gar kein Schneemann«, erklärte Jonathan

geheimnisvoll. »Es ist ein Schneebär. Es soll eine Überraschung für Papa sein.«

»Es sieht so aus, als würde er mehr als eine Überraschung erleben«, sagte Mrs Bird. »Dort beim Zaun steht Mr Curry und wartet auf ihn.

»Verflixt!«, jammerte Jonathan. »Das hat uns gerade noch gefehlt!«

»Verlass dich darauf, dass Mr Curry immer alles verdirbt«, sagte Judy. »Hoffentlich hält er Papa nicht zu lange auf.«

»Warum denn, Judy?«, fragte Mrs Brown. »Ist das so wichtig?«

»Wichtig?«, schrie Jonathan und stürzte zum Fenster. »Sehr wichtig sogar.«

Mrs Brown fragte nichts weiter. Bestimmt würde sie alles zur rechten Zeit hören – was immer es auch war.

Mr Brown brauchte sehr lange, bis er Mr Curry loswurde und den Wagen in die Garage stellen konnte. Als er ins Haus kam, sah er sehr verärgert aus.

»Dieser Mr Curry!«, rief er. »Immer beschwert er sich über Paddington. Heute Morgen soll er ihm einen Schneeball ins Bett geworfen und die Tür zugesperrt haben.« Mr Brown schaute sich um. »Übrigens, wo ist denn Paddington?«

»Ich habe ihn schon seit Ewigkeiten nicht mehr gesehen«, sagte Mrs Brown. Sie sah Jonathan und Judy an. »Wisst ihr, wo er ist?«

»Hat er dich nicht erschreckt, Papa?«, fragte Jonathan.

»Mich erschreckt?«, meinte Mr Brown erstaunt. »Keine Spur. Ja, hätte er es denn tun sollen?«

»Aber du hast doch den Schneebären gesehen, nicht wahr?«, fragte Judy. »Dort, bei der Garage.«

»Einen Schneebären?«, fragte Mr Brown. »Um Himmels willen – ihr wollt doch nicht sagen, dass dieser Schneemann Paddington ist?«

»Es war eigentlich nicht seine Idee«, sagte Jonathan mit kläglicher Stimme. »Mindestens nicht ganz seine Idee.«

»Sicher hat er Mr Currys Stimme gehört und Angst bekommen«, sagte Judy.

»Bringt ihn herein, aber sofort!«, befahl Mrs Bird. »Wahrhaftig, er kann sich bei dieser Kälte den Tod holen. Ich hätte gute Lust, euch heute Abend ohne Essen ins Bett zu schicken.«

Mrs Bird war nicht wirklich böse auf Paddington. Sie war nur immer sehr besorgt um ihn. Als er durch die Tür hereinkam, änderte sich ihre strenge Miene sofort.

Sie nahm seine Pfote in die Hand und fühlte seine Nase. »Du liebe Güte!«, rief sie aus. »Du bist so kalt wie ein Eisberg!«

Der kleine Bär zitterte. »Ich möchte nicht noch einmal ein Schneebär sein«, sagte er mit schwacher Stimme.

»Das will ich hoffen«, sagte Mrs Bird. Sie wandte sich den anderen zu. »Paddington muss sofort ins Bett – mit einer Wärmflasche und einem Teller heißer Suppe. Und dann muss der Arzt kommen.«

Sie setzte den kleinen Bären neben den Ofen, eilte die Treppe hinauf und holte das Fieberthermometer.

Der kleine Bär streckte sich in Mr Browns Lehnsessel aus und schloss die Augen. Er fühlte sich doch sehr merkwürdig. Er konnte sich nicht erinnern, dass er sich jemals zuvor so merkwürdig gefühlt hatte. Einen Augenblick war ihm so kalt wie der Schnee draußen, im nächsten Moment glühte er wie Feuer.

Wie lange er im Lehnsessel lag, wusste er nicht. Er erinnerte sich undeutlich daran, dass ihm Mrs Brown etwas Kaltes und Langes unter die Zunge steckte und sagte, er solle ja nicht hineinbeißen.

Was nachher geschah, davon wusste er fast gar nichts mehr, nur dass alle sehr aufgeregt waren. Sie liefen hin und her, brachten ihm einen Teller mit Suppe und füllten Wärmflaschen. Jedermann schien bemüht zu sein, dass sein Zimmer ja recht gemütlich war.

Schon ein paar Minuten später war das Zimmer hergerichtet. Alle Mitglieder der Familie Brown stiegen die Treppe hinauf und vergewisserten sich, dass der kleine Bär wohlbehalten in seinem Bett und auch gehörig zugedeckt war. Paddington winkte ihnen erschöpft mit der Pfote zu. Dann streckte er sich aus und schloss die Augen.

»Es muss ihm wirklich schlecht gehen«, flüsterte Mrs Bird. »Er hat nicht einmal seine Suppe angerührt.«

»Es war zum Großteil meine Idee. Ich werde es mir nie verzeihen, wenn ihm etwas passiert«, sagte Jonathan bekümmert, als er mit Judy die Treppe hinuntergging.

»Es war genauso gut meine Idee«, tröstete ihn Judy. »Wir sind alle gleichzeitig darauf gekommen.«

Die Türglocke läutete. »Das ist der Doktor«, sagte Judy. »Wir werden gleich hören, wie es um Paddington steht.«

Der Doktor blieb lange bei Paddington. Als er herunterkam, sah er ernst aus.

»Wie geht es ihm, Herr Doktor?«, fragte Mrs Brown. »Er ist nicht ernstlich krank, nicht wahr?«

»Tut mir leid«, sagte der Doktor. »Sie müssen wissen: Dieser junge Bär ist tatsächlich sehr krank. Kein Wunder! Hat sich im Schnee herumgetrieben und ist es nicht gewöhnt. Ich habe ihm einen Tropfen bester Medizin gegeben, damit er die Nacht gut übersteht. Morgen in aller Früh komme ich wieder.«

»Er wird bestimmt bald wieder ganz gesund, nicht wahr, Herr Doktor?«, rief Judy.

Der Doktor schüttelte mit ernster Miene den Kopf. »Kann noch nichts darüber sagen«, meinte er. Dann wünschte er den Browns eine gute Nacht und fuhr davon.

Es war eine sehr traurige Familie, die an diesem Abend die Treppe hinaufwanderte. Während die anderen schlafen gingen, zog Mrs Bird schweigend in Paddingtons Zimmer um. Sie wollte während der Nacht bei ihm wachen.

Aber sie war nicht die Einzige, die nicht schlafen konnte. Immer wieder öffnete sich leise die Tür von Paddingtons Zimmer. Entweder Mr Brown oder Mrs Brown oder Jonathan und Judy kamen hereingeschlichen und sahen nach, wie es dem kleinen Bären ging. Es war doch nicht möglich, dass es ihrem Paddington so schlecht ging! Aber jedes Mal, wenn sie Mrs Bird ansahen, schüttelte sie den Kopf. Sie beugte sich über ihre Näharbeit, damit sie ihr Gesicht nicht sehen konnten.

Die Nachricht von Paddingtons Krankheit verbreitete sich blitzschnell in der ganzen Nachbarschaft. Kaum war es Mittag geworden, kam ein Besucher nach dem anderen und erkundigte sich nach dem kleinen Bären.

Der erste Besucher war Mr Gruber.

Mr Gruber ging bald wieder fort, aber schon nach kurzer Zeit kam er noch einmal zurück. Er brachte einen großen Korb mit Weintrauben und anderen Früchten und einen Strauß Blumen von den Händlern auf dem Portobello-Markt. Unter der Tür blieb er stehen.

»Ich bin sicher, dass er bald gesund wird, Mrs Brown«, sagte er. »Ich bin ganz sicher! So viele Menschen wünschen, dass es ihm gut geht. Wie könnte es da anders sein?«

Sogar Mr Curry klopfte am Nachmittag an die Tür. Er brachte einen Apfel und einen Topf voll Fleischbrühe. »Das ist sehr gut für kranke Leute«, sagte er.

Mrs Bird trug alle Geschenke in Paddingtons Zimmer und stellte sie neben seinem Bett auf, für den Fall, dass er aufwachen sollte und Hunger hatte.

In den nächsten zwei Tagen kam der Doktor noch sehr oft. Trotz aller seiner Mühe änderte sich aber der

Zustand des kleinen Bären nicht. »Es bleibt uns nichts übrig als abzuwarten.« Das war alles, was er sagte.

Drei Tage später, als alle um den Frühstückstisch saßen, wurde die Tür des Esszimmers aufgerissen und Mrs Bird stürzte herein.

»Oh, kommt schnell!«, rief sie. »Paddington ...«

Alle sprangen auf und starrten Mrs Bird an.

»Er ... es geht ihm doch nicht schlechter?«, fragte Mrs Brown und sprach damit aus, was die anderen befürchteten.

»O nein«, sagte Mrs Bird und fächelte sich mit der Morgenzeitung Kühlung zu. »Das ist es ja, was ich sagen wollte. Es geht ihm viel besser. Er sitzt in seinem Bett und möchte Marmeladenbrötchen.«

»Marmeladenbrötchen!«, rief Mrs Brown. »Dem Himmel sei Dank!« Sie wusste nicht, ob sie weinen oder lachen sollte.

Sie hatte kaum den Satz zu Ende gesprochen, als die Klingel läutete, die Mr Brown neben dem Bett des kleinen Bären angebracht hatte.

»Du liebe Güte«, rief Mrs Bird aus. »Ich hoffe, ich habe mich nicht zu früh gefreut.« Sie eilte aus dem Raum und die Treppe hoch und alle folgten ihr. Als sie in Paddingtons Zimmer traten, lag der kleine Bär auf dem Rücken. Er hatte die Pfoten in die Höhe gestreckt und starrte zur Zimmerdecke.

»Paddington«, rief Mrs Brown und wagte kaum zu atmen. »Paddington, geht es dir gut?«

Alle warteten ängstlich auf die Antwort.

»Mir scheint«, sagte der kleine Bär mit leiser Stimme, »ich bin noch ganz schwach. Ich glaube, es ist besser, wenn ich zwei Marmeladenbrötchen esse – zur Sicherheit!«

Mit einem Seufzer der Erleichterung sahen sich Mr und Mrs Brown, die Kinder und Mrs Bird an. Paddington war zwar noch nicht ganz der Alte, aber ohne Zweifel befand er sich endgültig auf dem Weg der Besserung.

Ochsenauge und Wäscheleine

»Man sollte es zwar nicht sagen«, bemerkte Mrs Bird, »aber ich bin wirklich froh, wenn Weihnachten vorüber ist.«

Mrs Bird war in den letzten Wochen vor Weihnachten immer sehr aufgeregt. Den ganzen Tag über stand sie in der Küche. Berge von Lebkuchen, Weihnachtssternen und süßen Kringeln standen in großen Blechdosen herum. Aber in diesem Jahr war es noch aufregender als sonst. Paddington half nämlich beim Backen. Besonders die Minzplätzchen hatten es ihm angetan. Wenn er wenigstens den Backofen nur einmal geöffnet hätte!

Aber nein, er öffnete ihn mindestens ein Dutzend Mal, um nachzusehen, wie sie aussahen.

Kein Wunder, wenn Mrs Bird stöhnte. Der kleine Bär war nämlich fast immer im Haus. Meistens stand er in der Küche herum. Ins Freie durfte er noch nicht viel, weil er sich erst von seiner Krankheit erholen musste.

Es war genau eine Woche vor Weihnachten. Mrs Brown kam in die Küche, sah Paddington herumhantieren, überlegte eine Weile und meinte dann: »Ich glaube, es ist besser, wenn ich Paddington mitnehme.«

»Sie denken doch nicht wirklich daran, ihn zum Einkaufen mitzunehmen«, sagte Mrs Bird. »Sie wissen doch, was letztes Mal geschah.«

Mrs Brown seufzte. Sie erinnerte sich nur zu gut an damals, als Paddington sie beim Einkaufen begleitet hatte.

»Ich muss ihn trotzdem mitnehmen«, sagte sie. »Ich habe es ihm versprochen.«

Paddington ging nur zu gern einkaufen. Es machte ihm großen Spaß, in die Schaufenster zu gucken. Seitdem er immer zu Hause bleiben musste, wenn die anderen einkaufen gingen, dachte er überhaupt an nichts anderes mehr. Außerdem hatte er Geld gespart, aber das hatte er niemandem verraten. Er wollte nämlich den Browns und anderen Freunden Geschenke kaufen.

Schon vor langer Zeit hatte er einen Rahmen für sein Foto gekauft. Das Foto hatte er zusammen mit einem großen Topf Honig seiner Tante Lucy nach Peru gesandt.

Der kleine Bär besaß auch mehrere Listen, über denen das Wort GEHEIM stand. Diese Geheimlisten hatte er in seinem Köfferchen versteckt. Schon seit Wochen hielt er bei jedem Gespräch die Ohren offen, um zu erfahren, was sich die anderen wünschten.

»Auf jeden Fall«, sagte Mrs Brown, »sind wir alle froh, dass er wieder so munter ist. In letzter Zeit hat er sich wirklich gut betragen. Ich glaube, er verdient eine Belohnung.«

»Und dann«, fügte sie hinzu, »nehme ich ihn auch nicht in das große Kaufhaus mit. Ich gehe nur zu *Crumbold and Ferns.*«

Mrs Bird stellte das Backblech ab. »Sind Sie sicher, dass Sie mit ihm dorthin gehen?«, rief sie. »Sie wissen doch, wie die Leute dort sind.«

Crumbold and Ferns war ein sehr altes und angesehenes Geschäft. Jedermann wagte dort nur im Flüsterton zu sprechen. Die Verkäufer trugen dunkle Anzüge.

»Es ist doch Weihnachten«, sagte Mrs Brown. »Und Paddington freut sich so darauf.«

Als der kleine Bär nach dem Mittagessen mit Mrs Brown in die Stadt ging, gab sogar Mrs Bird zu, dass er hübsch genug aussah, um überall hinzugehen. Sein Mantel war aus der Reinigung zurückgekommen und fleckenlos sauber. Sogar sein alter Hut sah ungewöhnlich schmuck aus. Paddington bestand immer darauf, den alten Hut aufzusetzen, wenn er zum Einkaufen ging.

Der kleine Bär winkte Mrs Bird zum Abschied. Dann stieg er mit Mrs Brown in den Bus. Ganz vorne waren noch zwei Plätze frei. Paddington schaute sich neugierig um. Vor ihm saß der Fahrer. Eine Glaswand trennte ihn von den Passagieren. Der kleine Bär stellte sich auf seinen Sitz. Er klopfte an das Glas und winkte dem Mann hinter dem Lenkrad freundlich zu. Dieser war aber zu sehr mit dem Verkehr auf der Straße beschäftigt. Kein einziges Mal drehte er sich um, Paddington mochte klopfen, soviel er wollte. Das ärgerte den kleinen Bären. Er begann, immer heftiger zu klopfen und auf dem Polster auf und ab zu hopsen.

Der Schaffner bemerkte plötzlich den kleinen, hopsenden Bären. »He du!«, rief er. »Hör endlich mit dem

Klopfen auf! Junge Leute wie du bringen unsere Busse in schlechten Ruf!«

Paddington rutschte erschrocken auf seinen Sitz zurück und nahm sich vor, ganz still sitzen zu bleiben. Der Schaffner war aber kein unfreundlicher Mann. Nachdem er das Fahrgeld eingesammelt hatte, kam er zu dem kleinen Bären zurück. Er gab ihm ein paar alte Fahrscheine und fing an, mit ihm zu plaudern. Er erklärte ihm, bei welchem Signal der Autobus stehen blieb und bei welchem er weiterfuhr. Er nannte ihm die Namen der Plätze, an denen sie vorbeifuhren. Zum Schluss schenkte er ihm sogar ein riesengroßes Pfefferminzbonbon und sagte, es sei ein Ochsenauge. Paddington war fast traurig, als die Fahrt zu Ende war und er sich von dem netten Schaffner verabschieden musste.

Als sie zum Kaufhaus kamen, gab es noch einen anderen kleinen Zwischenfall. Paddington kam mit der Drehtür in Schwierigkeiten. Es war eigentlich nicht seine Schuld. Er wollte gerade Mrs Brown folgen, als ein Mann mit großem Bart auf der anderen Seite herauskam. Der Mann war in großer Eile. Er stieß an die Drehtür und sie begann sich mit großer Geschwindigkeit zu drehen. Der kleine Bär wurde mitgerissen, und nachdem er mehrere Male im Kreis herumgedreht worden war, entdeckte er, dass er wieder auf dem Gehsteig war.

Er konnte dem Mann mit dem großen Bart nur noch einen flüchtigen Blick nachwerfen. Der Mann saß in einem mächtigen Auto, das gerade wegfuhr, und winkte ihm zu. Er schien ihm auch noch etwas zuzurufen, aber der kleine Bär verstand nichts. Im gleichen Moment trat er auf etwas Spitzes, Hartes, verlor das Gleichgewicht und fiel nach hinten. Nun saß er mitten auf dem Gehsteig und untersuchte seine Hinterpfote. Zu seinem Erstaunen fand er eine Krawattennadel darin stecken. Paddington wusste, dass es eine Krawattennadel war, weil auch Mr Brown eine besaß. Nur war Mr Browns Krawattennadel einfach, während die hier etwas Großes, Glitzerndes in der Mitte hatte. Der kleine Bär steckte sie zur Sicherheit an seinen Mantelkragen.

Plötzlich bemerkte er, dass ihn jemand ansprach.

»Ist alles in Ordnung, mein Herr?« Das war der Portier, ein würdiger Mann in einer roten Uniform mit vielen glänzenden Goldknöpfen.

»Ich glaube schon«, sagte der kleine Bär. Er stand auf und bürstete sich ab. »Aber ich muss irgendwo mein Ochsenauge verloren haben.«

»Ihr Ochsenauge, mein Herr?«, fragte der Mann. Wenn er überrascht war, so ließ er es sich wenigstens nicht anmerken. Portiers waren immer überaus höfliche Leute, fand Paddington.

Insgeheim wunderte sich der Portier jedoch gewaltig. Was für ein seltsamer Kunde, dachte er. Dann bemerkte er den riesigen Diamanten vorne am Mantelkragen des Bären. Dem Portier verschlug es fast den Atem. Himmel, ein so kostbarer Diamant! Nun gibt es sogar Bären in der vornehmen Gesellschaft!, sagte er zu sich. Doch als sein Blick auf Paddingtons alten Hut fiel, war er nicht mehr ganz so sicher, ob dieser Bär wirklich zur vornehmen Welt gehörte. Vielleicht ist es bloß ein Bär vom Land, der in die Stadt gekommen ist und sich fein herausgeputzt hat, entschied er, oder es ist ein vornehmer Bär, der schon bessere Tage gesehen hat.

Er hob würdevoll die Hand und hielt die vorbeigehenden Fußgänger auf, während sie gemeinsam den Gehsteig absuchten. Der Portier versuchte so auszusehen, als wäre es ein sehr alltägliches Ereignis, einem jungen Bären bei der Suche nach einem Ochsenauge zu helfen. Als sie es gefunden hatten, führte er den kleinen Bären durch die Drehtür. Drinnen wartete ganz besorgt Mrs Brown.

Der Portier hob grüßend seine Hand und Paddington winkte mit der Pfote zurück. Dann sah er sich um. Alles in diesem Kaufhaus war sehr eindrucksvoll. Wo immer der kleine Bär und Mrs Brown hingingen, verbeugten sich die Verkäufer in ihren schwarzen Anzügen tief vor ihnen und wünschten einen guten Tag. Bis sie zu der Abteilung »Haushaltsgeräte« kamen, tat dem kleinen Bären vom vielen Zurückwinken schon die Pfote weh. Da sie beide einige geheime Einkäufe zu erledigen hatten, ließ Mrs Brown den kleinen Bären in der Obhut eines Verkäufers zurück. In einer halben Stunde sollte Paddington dann vor dem Haupteingang des Geschäftes auf sie warten.

Der Verkäufer versicherte Mrs Brown, dass sie den kleinen Bären unbesorgt bei ihm lassen könnte. »Ich kann mich zwar nicht erinnern, dass in unserem Haus je ein richtiger Bär war«, sagte er, »aber wir haben eine Anzahl vornehmer ausländischer Herren unter unseren Kunden. Viele von ihnen besorgen ihre Weihnachtseinkäufe bei uns.« Mrs Brown hatte ihm nämlich erklärt, dass Paddington aus dem dunkelsten Peru komme.

Mrs Brown ging weiter und der Verkäufer wandte sich an Paddington. Vorher wischte er sich ein unsichtbares Stäubchen von seinem Anzug. Der kleine Bär war von diesem vornehmen Kaufhaus schon ganz eingeschüchtert, aber er wollte Mrs Brown keine Schande machen. So klopfte er auch mit der Pfote auf seinen Mantel. Der Verkäufer sah verwundert, wie eine kleine

Staubwolke aufstieg und sich dann langsam auf dem spiegelblanken Ladentisch niederließ.

Der kleine Bär folgte dem staunenden Blick des Mannes. »Ich glaube, das ist vom Gehsteig«, erklärte er. »Ich hatte einen Unfall bei der Drehtür.«

Der Mann hüstelte. »Ach«, sagte er, »wie bedauerlich!« Er lächelte schwach und beschloss, die ganze Angelegenheit am besten zu vergessen. »Und was kann ich für Sie tun, mein Herr?«, fragte er.

Paddington schaute sich um. Mrs Brown war nirgends mehr zu sehen. »Ich möchte einen Waschstrick«, verkündete er.

»Einen was?«, rief der Verkäufer aus.

Paddington schob schleunigst sein Ochsenauge in den anderen Mundwinkel. »Eine Wäscheleine«, verbesserte er sich mit dumpfer Stimme. »Für Mrs Bird nämlich. Ihre alte Wäscheleine ist vor ein paar Tagen gerissen.«

Der Verkäufer schluckte. Er verstand kein Wort, was dieser sonderbare junge Bär sagte.

Doch in diesem vornehmen Geschäft gab sich ein Verkäufer nur selten geschlagen. »Vielleicht würde es Ihnen nichts ausmachen«, schlug er vor, »auf den Ladentisch zu steigen, damit ich Sie besser verstehen kann.«

Der kleine Bär seufzte. Manchmal war es wirklich

schwierig, die einfachsten Dinge zu erklären. Er kletterte auf den Ladentisch, öffnete sein Köfferchen und zog ein Inserat heraus. Er hatte es vor ein paar Tagen aus Mr Browns Zeitung geschnitten.

Das Gesicht des Verkäufers klärte sich auf. »Ah, Sie meinen unsere Spezial-Automatik-Wäscheleine, mein Herr.« Er holte eine grüne Blechdose aus einem Fach herunter. »Das ist eine sehr vornehme Wäscheleine, wenn ich es sagen darf, mein Herr. Ein Geschenk, wie es von einem jungen Bären mit Geschmack zu erwarten ist. Ich kann Ihnen diesen Kauf nur empfehlen.«

Der Mann zog durch ein Loch in der Dose das Ende der Leine heraus und reichte es dem kleinen Bären. »Diese Automatik-Wäscheleinen sind ein großartiger Verkaufserfolg.«

Der kleine Bär betrachtete ernst die Spezial-Automatik-Wäscheleine. Mit dem Ende der Wäscheleine in der Pfote kletterte er vom Ladentisch herunter.

»Sehen Sie«, fuhr der Mann fort und beugte sich über den Ladentisch, »es ist alles ganz einfach. Die Wäscheleine befindet sich zur Gänze in dieser Dose. Wenn Sie die Leine verwenden, wickelt sie sich automatisch ab. Machen Sie einige Schritte zurück! Wenn Sie fertig sind, brauchen Sie nur diesen Griff zu drehen und schon ...« Plötzlich stockte er.

»Sie brauchen nur diesen Griff zu drehen«, wiederholte er und versuchte es noch einmal. Der Strick rollte sich nicht auf. Stattdessen kam mehr und mehr Wäscheleine aus der Dose.

»Ich bedauere außerordentlich, mein Herr«, sagte der Verkäufer. »Irgendetwas muss sich verklemmt haben …« Seine Stimme erstarb und sein Blick wurde unruhig. Wo war nur der kleine Bär geblieben?

»Hallo«, rief er dem Verkäufer am anderen Ende des Ladentisches zu, »haben Sie einen jungen Bärenherren mit einer Wäscheleine in der Hand vorbeigehen sehen?«

»Ja«, antwortete der andere Verkäufer, »in dieser Richtung.« Er zeigte zu der Porzellanwarenabteilung.

Der Verkäufer packte die grüne Dose und folgte der Wäscheleine. Es ging nicht schnell. Immer wieder musste er sich durch die Käufer drängen.

Paddington am anderen Ende der Wäscheleine war bereits in Schwierigkeiten. Das Kaufhaus war voller Menschen und niemand achtete auf den kleinen Bären. Immer wieder musste er unter einen Ladentisch kriechen, weil sonst jemand über ihn gestolpert wäre.

Es war wirklich eine sehr gute Wäscheleine. Paddington war sicher, dass sich Mrs Bird darüber freuen würde. Aber nun wünschte er sich, er hätte etwas anderes gewählt. Die Wäscheleine schien kein Ende zu nehmen und sie wickelte sich immer wieder um die Beine anderer Leute.

Er ging weiter und weiter, rund um einen Tisch, der mit Tellern und Tassen beladen war, und an einer Säule vorbei. Schließlich kroch er unter einem anderen Ladentisch durch und noch immer ließ sich die Leine weiter abwickeln. Immer mehr Menschen drängten sich um ihn. Der kleine Bär kämpfte sich mühsam durch. Ein- oder zweimal verlor er beinahe seinen Hut.

Als er die Hoffnung fast schon aufgegeben hatte, jemals wieder in die Haushaltsabteilung zurückzufinden, erblickte er den Verkäufer. Der Mann saß auf dem Fußboden und war rot im Gesicht. Sein Haar war zerzaust. Er schien mit einem Tischbein zu kämpfen.

»Ah, hier sind Sie!«, keuchte er, als er den kleinen Bären sah. »Hoffentlich ist Ihnen bewusst, junger Herr, dass ich Ihnen durch die ganze Porzellanabteilung folgen musste. Und nun haben Sie die Wäscheleine heillos ineinander verknotet.«

»Oje!«, sagte Paddington und schaute die Wäscheleine an. »Habe ich das wirklich getan? Ich fürchte, ich habe mich nur verirrt. Ich muss zweimal unter den gleichen Tisch geraten sein.«

»Was haben Sie mit dem anderen Ende getan?«, schrie der Verkäufer ihm zu.

Er war gar nicht in bester Laune. Unter dem Tisch war es heiß und sehr laut und immer wieder stieß ihn einer der vorübergehenden Leute an. Abgesehen davon befand er sich in einer äußerst lächerlichen Lage.

»Hier«, sagte der kleine Bär und versuchte, das Ende der Wäscheleine zu finden. »Hier war es – noch vor einem Augenblick.«

»Wo?«, rief der Verkäufer. Vielleicht war es der Lärm der Menschenmenge, aber er konnte noch immer kein Wort verstehen. Was der Bär sagte, schien von einem sonderbar knirschenden Geräusch begleitet zu sein. Außerdem roch es stark nach Pfefferminz.

»Sprechen Sie lauter!«, rief er und hielt die Hand hinter das Ohr. »Ich verstehe kein Wort!«

Der kleine Bär schaute den Mann verwirrt an. Der Mann sah unfreundlich aus. Paddington wünschte inzwischen, er hätte sein Pfefferminzbonbon draußen auf dem Gehsteig gelassen. Es war ein sehr gutes Pfefferminzbonbon, aber es machte das Sprechen ziemlich schwierig.

Er langte in seine Tasche, um das Taschentuch herauszuholen.

In diesem Augenblick geschah es! Der Verkäufer zuckte zusammen. Sein Gesichtsausdruck wurde zuerst eisig und dann ungläubig.

»Entschuldigen Sie«, sagte der kleine Bär und klopfte ihm auf die Schulter. »Ich glaube, mein Ochsenauge ist in Ihr Ohr gerutscht.«

»Ihr Ochsenauge?«, rief der Mann entsetzt aus. »In meinem Ohr?«

»Ja«, sagte der kleine Bär. »Der Autobusschaffner hat es mir gegeben. Ich fürchte, es ist beim Lutschen etwas glitschig geworden.«

Der Verkäufer kroch unter dem Tisch hervor und richtete sich zu seiner vollen Größe auf. Mit dem Ausdruck des größten Widerwillens fasste er das Pfefferminzbonbon mit den Fingerspitzen an und entfernte es aus seinem Ohr. Einen Augenblick hielt er es zwischen Daumen und Zeigefinger. Dann legte er es schleunigst

auf den nächstbesten Ladentisch. Es war schlimm, am Boden herumzukriechen, um eine Wäscheleine zu entwirren und ein Pfefferminzbonbon im Ohr zu haben – so etwas hatte sich in diesem vornehmen Haus noch nie ereignet!

Er holte tief Atem und wollte gerade mit zitterndem Zeigefinger auf Paddington weisen, doch als er den Mund aufmachen wollte, bemerkte er, dass der kleine Bär nicht mehr da war. Auch die Wäscheleine war verschwunden. Dem Verkäufer blieb nur noch Zeit, den Tisch festzuhalten, der gefährlich zu schwanken begann. Trotzdem fielen einige Teller, eine Tasse und eine Suppenschüssel auf den Boden.

Der Verkäufer hob seinen Blick verzweifelt in die Höhe. Er nahm sich fest vor, in Zukunft allen jungen Bären, die in das Geschäft kamen, aus dem Weg zu gehen.

Bei der Eingangshalle schien Unruhe entstanden zu sein. Der Verkäufer machte sich seine eigenen Gedanken über die Ursache dieser neuerlichen Aufregung. Doch er beschloss weise, seine Gedanken für sich zu behalten. Für diesen Tag hatte er jedenfalls genug von Käufern, die Bären waren.

Auf dem Gehsteig vor dem Kaufhaus hatte sich eine Menschenmenge angesammelt. Mrs Brown bahnte sich mühsam ihren Weg durch die Leute.

»Entschuldigen Sie«, sagte sie und zog den Portier am Ärmel seiner roten Uniform. »Entschuldigen Sie! Haben Sie nicht zufällig einen kleinen Bären in einem blauen Mantel gesehen? Ich hatte mit ihm vereinbart, dass wir uns hier treffen.«

Der Portier legte grüßend die Hand an die Mütze. »Handelt es sich vielleicht um diesen jungen Herrn, gnädige Frau?«, fragte er. Durch eine Lücke in der Menge sah man einen anderen Mann in Uniform, der Schwierigkeiten mit der Drehtür zu haben schien. »Wenn er es ist – dann steckt er fest. Ganz und gar! Er kann weder heraus noch hinein. Sozusagen genau in der Mitte!«

»Oh, Gott!«, sagte Mrs Brown. »Das klingt ganz nach Paddington.« Sie stellte sich auf die Zehenspitzen und guckte über die Schulter eines Herrn mit Bart, der vor ihr stand. Der Mann klopfte an das Glas der Drehtür und rief beruhigende Worte. Ein flüchtiger Blick zeigte Mrs Brown eine wohlbekannte Pfote, die dem Mann mit dem Bart zurückwinkte.

»Paddington«, rief sie, »wie um alles in der Welt bist du da hineingeraten?«

»Ah«, sagte der Portier, »das ist es ja, was wir herausfinden wollen. Es scheint, er hat eine Wäscheleine um die Türangel gewickelt. Sagt man wenigstens.«

Ein aufgeregtes Murmeln lief durch die Menge, als sich die Tür wieder zu drehen begann. Alle wollten sich auf den kleinen Bären stürzen, doch der vornehme Herr mit dem Bart erreichte ihn als Erster. Zum Erstaunen aller fasste er die Pfote des kleinen Bären und schüttelte sie herzlich.

»Meinen besten Dank, Bär«, sagte er immer und immer wieder.

Paddington nickte, sah aber ebenso erstaunt aus wie alle anderen.

»Ich hatte keine Ahnung, dass er ein Freund von Baron Gibbs ist«, flüsterte der Portier ehrfurchtsvoll.

»Davon habe ich auch keine Ahnung«, sagte Mrs Brown. »Darf man fragen, wer Baron Gibbs ist?«

»Baron Gibbs?«, wiederholte der Portier mit gedämpfter Stimme. »Wie? Sie kennen ihn nicht? Das ist ein steinreicher Mann. Er ist der wichtigste Kunde unseres Hauses.« Er drängte die Neugierigen zur Seite und machte Paddington und Baron Gibbs den Weg frei.

»Verehrte, gnädige Frau«, sagte Baron Gibbs und verbeugte sich tief vor ihr. »Sie müssen Mrs Brown sein. Ich habe gerade alles über Sie gehört.«

»Oh«, sagte Mrs Brown nur.

»Ihr junger Bär fand eine äußerst wertvolle diamantene Krawattennadel, die ich am Nachmittag verloren habe«, sagte Baron Gibbs.

»Eine diamantene Krawattennadel?«, rief Mrs Brown und schaute Paddington an. Es war das erste Mal, dass sie von einer diamantenen Krawattennadel hörte.

»Ich fand sie, als ich mein Ochsenauge suchte«, antwortete der kleine Bär.

»Ein Beispiel für uns alle«, rühmte ihn Baron Gibbs, wandte sich an die Menge und zeigte auf Paddington. Der winkte bescheiden, als ein paar Leute Beifall klatschten.

»Nun, nun, liebe, gnädige Frau«, sagte Baron Gibbs zu Mrs Brown, »soviel ich gehört habe, wollten Sie diesem jungen Bären die Weihnachtsdekorationen in den Straßen unserer Stadt zeigen.«

»Ja«, antwortete Mrs Brown, »das hatte ich vor. Er hat so etwas noch nie gesehen. Außerdem ist es sein erster Spaziergang, seit er krank gewesen ist.«

»In diesem Fall steht Ihnen selbstverständlich mein Auto zur Verfügung«, sagte Baron Gibbs und wies auf einen prächtigen Wagen.

»Ooh!«, sagte Paddington. »Wirklich?« Seine Augen glänzten. Noch nie hatte er ein so riesiges Auto

gesehen, und er hätte es sich nie träumen lassen, jemals selbst in einem solchen Wagen zu fahren.

»Ja! Selbstverständlich!«, sagte Baron Gibbs und öffnete die Wagentür für Mrs Brown und Paddington. »Falls Sie mir die Ehre geben wollen«, fügte er hinzu, weil er sah, dass der kleine Bär unruhig wurde.

»O ja«, antwortete Paddington höflich. Er zögerte. »Aber ... aber ich habe mein Pfefferminzbonbon im Geschäft zurückgelassen.«

»Du liebe Güte«, sagte der Herr und half dem kleinen Bären und Mrs Brown in den Wagen. »Da gibt es nur einen Ausweg.«

Er klopfte mit seinem Gehstock an das Glasfenster hinter dem Fahrersitz. »Fahren Sie, James«, sagte er, »und halten Sie nicht eher an, bis wir zum nächsten Bonbongeschäft gekommen sind.«

»Eins mit Ochsenaugen, bitte, Mr James«, rief der kleine Bär.

»Selbstverständlich eines mit Ochsenaugen«, wiederholte Baron Gibbs. »Das scheint von großer Wichtigkeit zu sein.« Er zwinkerte Mrs Brown zu. »Wissen Sie«, sagte er, »mir hat schon lange nichts mehr so viel Spaß gemacht.«

»Mir auch nicht«, sagte Paddington. Er schaute aus dem Fenster und sah die vielen Lichter auf der Straße.

Als der riesige Wagen langsam anfuhr, schauten ihm die Leute nach. Paddington stand auf seinem Sitz und winkte ihnen mit der Pfote zum Abschied zu. Dann machte er es sich bequem und hielt sich mit der anderen Pfote an einer langen, grünen Quaste fest.

Es geschah nicht alle Tage, dass ein Bär in einem so prächtigen Auto durch London geführt wurde. Paddington wollte dieses Ereignis voll und ganz auskosten.

Die Weihnachtsfeier

Die Zeit bis Weihnachten wollte nicht vorbeigehen. Jeden Morgen eilte Paddington die Treppe hinunter und strich den vergangenen Tag rot auf dem Kalender durch. Je mehr Tage er durchstrich, umso länger schien es bis Weihnachten zu dauern.

Dabei gab es genug zu tun. Jeden Tag kam der Postbote später. Erreichte er schließlich das Haus der Browns, hatte er immer mehr Briefe und Pakete abzugeben. Bald passten sie kaum noch in den Briefkasten. Mrs Bird versteckte die Pakete flink, bevor Paddington Zeit fand, daran zu schnuppern.

Viele Briefe waren an den kleinen Bären gerichtet, und er machte eine Liste, wem er danken musste, denn er wollte niemanden vergessen.

»Du bist zwar nur ein kleiner Bär«, sagte Mrs Bird, als sie ihm half, die Weihnachtskarten der Reihe nach auf dem Kaminsims aufzustellen, »aber bestimmt hast du überall Spuren hinterlassen.«

Paddington war sich nicht ganz sicher, was Mrs Bird meinte. Gerade vorher hatte sie den Zimmerboden auf Hochglanz poliert. Doch als er verstohlen seine Hinterpfoten untersuchte, stellte er fest, dass sie ganz sauber waren.

Paddington hatte alle seine Weihnachtskarten selbst angefertigt. Er zeichnete Tannenzweige mit Kerzen und klebte Sterne in die Ecken. Auf jeder Karte standen auf der Vorderseite die Worte: »Fröhliche Weihnachten und ein glückliches neues Jahr!« Auf der Rückseite waren sie mit Paddington Brown unterschrieben. Darunter zeigte ein Pfotenabdruck, dass die Unterschrift echt war.

Der kleine Bär zweifelte, ob »Fröhliche Weihnachten« wirklich so geschrieben wurde, wie es nun auf den Karten stand. Es sah ganz und gar nicht richtig aus. Lieber hätte er »Fröliche Weihnachden« geschrieben. Doch Mrs Bird hatte ein Wörterbuch geholt und nachgeschlagen.

»Es gibt wenig Leute, die Weihnachtsgrüße von einem Bären bekommen«, erklärte sie. »Bestimmt heben alle die Karten auf. Deshalb musst du dich bemühen, dass alles richtig geschrieben ist.«

Eines Abends kam Mr Brown nach Hause und hatte einen riesigen Weihnachtsbaum auf dem Dach seines Autos. Der Baum wurde neben dem Esszimmerfenster aufgestellt. Paddington und Mr Brown schmückten ihn mit Goldsternen, glitzernden Kugeln und Silberfäden.

Es gab aber auch noch anderes zu tun. Im Zimmer mussten Stechpalmenzweige, Papiergirlanden und Glocken aus buntem Krepppapier aufgehängt werden. Paddington hatte großen Spaß daran. Er überzeugte Mr Brown davon, dass niemand es so gut verstand, ein Haus zu schmücken, wie ein Bär.

Dabei stand er meist auf Mr Browns Schulter und Mr Brown reichte ihm die Reißnägel. Eines Abends kam es zu einem unglücklichen Zwischenfall. Der kleine Bär legte einen Reißnagel auf Mr Browns Kopf und trat aus Versehen mit der Pfote darauf. Mrs Bird stürzte atemlos ins Esszimmer, denn im gleichen Augenblick war im ganzen Haus das Licht ausgegangen. Sie fand Paddington mit den Pfoten an der Deckenlampe hängen. Mr Brown aber tanzte durch das Zimmer und drückte die Hände auf den Kopf.

Doch zu diesem Zeitpunkt war das Haus schon fast fertig geschmückt und sah festlich aus. Auf der Kommode lagen Nüsse, Orangen, Datteln und Feigen. Aber der kleine Bär durfte all die Herrlichkeiten nicht einmal berühren.

Die Aufregung im Haus wurde immer größer. Den Höhepunkt erreichte sie ein paar Tage vor Weihnachten, als Judy und Jonathan vom Internat heimkamen.

Am Weihnachtsmorgen stand die ganze Familie sehr früh auf. Eigentlich hatten alle lange schlafen wollen. Aber Paddington wachte sehr, sehr früh auf! Was war da am Fußende seines Bettes? Er rieb sich die Augen und richtete sich auf. Es war noch dämmrig im Zimmer. Schnell knipste er seine Taschenlampe an. Auf seinem Bett waren viele Päckchen. Ganz gewiss lagen sie gestern Abend noch nicht hier.

Seine Augen wurden groß und kugelrund. Er nahm ein Päckchen nach dem anderen in die Hand. Sie waren in buntes Papier eingeschlagen und mit Goldfäden verschnürt.

Aufgeregt öffnete der kleine Bär ein Geschenk nach dem anderen. Vor ein paar Tagen hatte ihm Mrs Bird aufgetragen, eine Liste seiner Weihnachtswünsche aufzuschreiben. Diesen Wunschzettel hatte er im Wohnzimmerkamin versteckt. Es war wirklich merkwürdig. Alles, was auf der Liste gestanden hatte, lag nun auf seinem Bett.

Da war eine besonders aufregende Schachtel. Vielerlei Flaschen, Gefäße und große und kleine Tuben waren darin. Es war ein Experimentierkasten für chemische Versuche. Mr Brown hatte sie ihm geschenkt. Von Mrs Brown stammte ein winziges Xylophon. Paddington schlug einen Purzelbaum vor Freude. Er liebte Musik. Je lauter sie war, desto besser gefiel sie ihm. Schon immer hatte er sich ein Instrument gewünscht, auf dem er selbst spielen konnte.

Mrs Birds Geschenk war praktisch. Sie war immer für das Praktische. Eine karierte Mütze – sein Herzenswunsch! Er hatte diesen Wunsch auf seiner Liste rot unterstrichen. Nun hüpfte Paddington aus dem Bett. Er setzte die Mütze auf und bewunderte sich im Spiegel.

Jonathan und Judy hatten ihm ein Reisebuch geschenkt. Paddington interessierte sich für Geographie. Er war ja auch ein weit gereister Bär. Zu seiner Freude entdeckte er in dem Buch viele bunte Bilder und eine Karte von Peru.

Der Lärm aus Paddingtons Zimmer weckte Jonathan und Judy auf. In kurzer Zeit war das ganze Haus auf den Beinen. Überall lagen bunte Geschenkpapiere, aufgeknüpfte Bänder und Holzwolle herum.

»Ich bin bestimmt nicht weniger vaterlandsliebend als andere«, brummte Mr Brown. »Aber meine Vaterlandsliebe hört auf, wenn ein Bär um sechs Uhr morgens die Nationalhymne spielt – besonders auf einem Xylophon.«

Wie immer war es Mrs Bird, die die Ordnung wiederherstellte. »Es werden keine weiteren Geschenke mehr ausgepackt bis nach dem Mittagessen«, befahl sie. Sie war gerade über den kleinen Bären gestolpert, der auf der Treppenstufe saß und seinen Chemiekasten untersuchte. Irgendetwas Garstiges war dabei in ihren Pantoffel geraten.

»Es ist schon in Ordnung, Mrs Bird«, sagte Paddington, nachdem er in der Anleitung nachgesehen hatte. »Es sind nur einige Eisenspäne. Ich glaube nicht, dass sie gefährlich sind.«

»Gefährlich oder nicht gefährlich«, sagte Mrs Bird, »ich muss das Weihnachtsessen kochen, ganz abgesehen davon, dass ich deinen Geburtstagskuchen verzieren muss!«

Weil er ein Bär war, hatte Paddington jedes Jahr zweimal Geburtstag – einmal im Sommer und einmal im Winter. Und im Winter feierte man Paddingtons Geburtstag zusammen mit Weihnachten. Familie Brown hatte Mr Gruber zu dieser Doppelfeier eingeladen.

Nachdem sie gefrühstückt hatten und in der Kirche gewesen waren, verging der Vormittag schnell. Die meiste Zeit verbrachte Paddington damit, sich zu entscheiden, was er zuerst tun sollte. Bei so viel Auswahl war die Entscheidung schwierig. Er las zunächst ein paar Kapitel aus dem Buch über chemische Versuche und erzeugte danach einige merkwürdige Gerüche und eine kleine Explosion.

Mr Brown zweifelte schon daran, ob es richtig gewesen war, dem kleinen Bären ein solches Geschenk zu geben. Vor allem als Paddington in seinem Buch ein Kapitel über »Feuerwerkskörper für den Hausgebrauch« fand. Er produzierte aber nur eine endlose Schlange, die nicht zu wachsen aufhörte und Mrs Bird zu Tode erschreckte, als sie die Treppe herabkam.

»Wenn wir nicht aufpassen«, sagte sie zu Mrs Brown, »werden wir die Weihnachtstage nicht überleben. Paddington sprengt uns entweder in die Luft oder vergiftet uns. Gerade vorhin hat er meine Bratensoße mit irgend so einem chemischen Papier untersucht.«

Mrs Brown seufzte: »Zum Glück ist Weihnachten nur einmal im Jahr.«

»Geben Sie Acht, für Paddington ist Weihnachten noch nicht vorüber«, warnte Mrs Bird.

Glücklicherweise kam in diesem Augenblick Mr Gruber. Nachdem die Ordnung wiederhergestellt worden war, setzten sich alle zum Essen nieder.

Paddingtons Augen funkelten, als er den gedeckten Tisch sah. Er war gar nicht mit Mr Brown einverstanden, der gesagt hatte: »Das alles sieht so schön aus, dass es schade ist, diese Pracht aufzuessen!«

Aber dann war auch der kleine Bär beim Essen zusehends langsamer geworden. Als der Weihnachtspudding hereingebracht wurde, klopfte er auf sein prall gefülltes Bäuchlein, um wieder Platz zu schaffen.

»Hmm«, sagte Mr Gruber ein paar Minuten später, lehnte sich in seinen Sessel zurück und schaute auf den leeren Tisch, »das war das beste Weihnachtsessen, das ich seit Jahren gehabt habe.«

Mr Brown nickte. »Und was sagst du, Paddington?«

»Es war sehr gut«, sagte der kleine Bär und leckte die Creme von seinen Barthaaren. »Nur war in meinem Pudding ein kleiner Knochen.«

»Ein – was?«, rief Mrs Brown. »In einem Weihnachtspudding gibt es doch keine Knochen.«

»Bei mir war aber einer drin!«, sagte Paddington

bestimmt. »Er war ganz hart und blieb fast in meiner Kehle stecken.«

»Gütiger Himmel!«, rief Mrs Bird aus. »Der Penny! Ich verstecke immer ein Geldstück im Weihnachtspudding.«

»Was?«, sagte der kleine Bär und fiel fast von seinem Sessel. »Ein Penny?«

»Schnell!«, rief Mr Brown und sprang auf. »Wir müssen ihn mit dem Kopf nach unten halten.«

Bevor der kleine Bär auch nur ein Wort sagen konnte, hing er mit dem Kopf nach unten. Mr Brown und Mr Gruber schüttelten ihn. Der Rest der Familie stand um ihn herum.

»Es nützt nichts«, sagte Mr Brown nach einer Weile. »Der Penny steckt zu weit unten.« Sie legten den kleinen Bären in einen Sessel. Dort blieb Paddington liegen und schnappte nach Luft.

»Ich habe einen Magnet«, sagte Jonathan. »Wir könnten versuchen, ihn an einer Schnur in seine Kehle hinunterzulassen.«

»Ich glaube nicht, dass man das tun darf«, sagte Mrs Brown. »Vielleicht verschluckt er auch den Magnet. Dann sind wir schlechter dran als vorher.« Sie beugte sich über den Sessel. »Wie geht es dir, Paddington?«

»Schlecht«, sagte Paddington mit leiser Stimme.

»Klar geht es dir schlecht, wenn du ein Pennystück verschluckt hast«, sagte Mrs Brown. »Das kann man sich vorstellen. Wir müssen sofort den Doktor holen.«

»Gott sei Dank habe ich den Penny vorher geputzt«, sagte Mrs Bird.

»Aber ich habe ihn doch nicht geschluckt«, schnaufte der kleine Bär. »Ich habe ihn nur *beinahe* geschluckt. Er liegt auf dem Rand meines Tellers. Ich wusste ja nicht, dass es ein Geldstück war. Es war voller Weihnachtspudding.«

Paddington hatte mehr als genug von dieser Geschichte und er fühlte sich wirklich sehr schlecht. Er hatte gerade ein gutes Festessen verspeist, und nun hatte man ihn auf den Kopf gestellt und geschüttelt, bevor er auch nur ein Wort hatte sagen können.

Die anderen sahen einander betreten an. Dann schlichen sie leise fort und ließen Paddington allein, bis er sich wieder erholt hatte. Was hätten sie sonst tun sollen?

Nachdem der Tisch abgeräumt worden war und Mrs Bird heißen Kaffee gekocht hatte, war der Bär fast schon wieder der Alte. Als die anderen ins Esszimmer zurückwanderten, saß er in seinem Sessel und knabberte Datteln.

Alle tranken Kaffee. Dann saßen sie um das hell flackernde Feuer im Kamin. Es war warm und gemütlich. Mr Brown rieb sich die Hände. »Nun, Paddington«, sagte er, »es ist ja nicht nur Weihnachten, es ist auch dein Geburtstag. Was möchtest du gern tun?«

Der kleine Bär machte ein geheimnisvolles Gesicht. »Ich habe mir etwas ausgedacht«, sagte er, »aber ihr müsst zuerst aus dem Zimmer gehen.«

»Muss das sein?«, fragte Mrs Brown etwas besorgt.

»Es dauert nicht lange«, sagte Paddington bestimmt. »Es ist eine besondere Überraschung und ich muss sie vorbereiten.« Er hielt die Tür auf und alle gingen gehorsam in das Zimmer nebenan.

»Macht die Augen zu!«, befahl der kleine Bär, als sie sich gesetzt hatten. »Wenn ich fertig bin, rufe ich.«

»Hoffentlich dauert es nicht zu lange«, rief Mrs Brown ihm nach. Aber als Antwort hörte sie nur die Tür zuklappen.

Schweigend warteten sie einige Minuten. Dann räusperte sich Mr Gruber. »Paddington scheint uns vergessen zu haben«, sagte er.

»Ob vergessen oder nicht vergessen«, sagte Mrs Brown, »ich warte auf keinen Fall länger.«

»Henry«, rief sie und öffnete ihre Augen. »Bist du eingeschlafen, Henry?«

»Hrrr ... wwas?«, schnaufte Mr Brown. Er hatte so viel gegessen, dass er tatsächlich eingenickt war. »Was ist denn los?«

»Nichts ist passiert«, sagte Mrs Brown. »Aber es wäre wohl besser, Henry, wenn du nachsiehst, was Paddington treibt.«

Einige Minuten verstrichen. Dann kam Mr Brown zurück. Er hatte Paddington nirgends gefunden.

»Er muss doch irgendwo sein«, sagte Mrs Brown. »Bären lösen sich nicht in Luft auf!«

»Mensch!«, rief Jonathan aus. Plötzlich schoss ihm ein Gedanke durch den Kopf. »Er will doch nicht den Weihnachtsmann spielen? Er wollte nämlich immer wissen, warum wir seine Wunschliste in den Kamin steckten. Weihnachtsmänner kommen durch den Kamin, hab ich ihm gesagt. Ich wette, deshalb mussten wir in dieses Zimmer gehen. Der Kamin da hat eine Verbindung mit dem Kamin oben. Und ein Feuer brennt hier ja nicht!«

»Weihnachtsmann?«, sagte Mr Brown. »Ich werde ihm meine Meinung über Weihnachtsmänner sagen!« Er steckte den Kopf in den Kamin und rief laut nach Paddington. »Ich kann überhaupt nichts sehen«, sagte er dann und brannte ein Zündholz an. Als Antwort fiel ein großer Klumpen Ruß auf seinen Kopf.

»Pass doch auf, Henry!«, schimpfte Mrs Brown.

»Warum schreist du auch so? Kein Wunder, dass Ruß herunterfällt. Schau dir nur dein frisches Hemd an!«

»Wenn Paddington oben ist, dann ist er vielleicht stecken geblieben«, meinte Mr Gruber. »Er hat ziemlich viel gegessen!« Die Gesichter wurden sofort ernst.

»Ach Gott, er kann im Ruß ersticken!«, rief Mrs Bird und stürzte ins Vorzimmer.

Sie kam mit einem Besen zurück. Der Reihe nach fuhr damit jeder hinauf in den Kamin. Aber obwohl sie angespannt horchten, hörten sie nicht den geringsten Laut.

Als die Aufregung am größten war, kam Paddington in das Zimmer. Er machte ein erstauntes Gesicht. Mr Brown steckte nämlich gerade mit dem Kopf im Kamin.

»Alle können jetzt ins Esszimmer kommen«, verkündete der kleine Bär und schaute von einem zum andern. »Ich bin mit dem Einpacken der Geschenke fertig. Sie hängen am Christbaum.«

»Das kann doch nicht sein!«, sagte Mr Brown und setzte sich nieder. Er wischte sich das Gesicht mit dem Taschentuch ab. »Bist du wirklich die ganze Zeit nebenan gewesen?«

»Ja«, antwortete der kleine Bär unschuldig. »Hoffentlich habe ich euch nicht zu lange warten lassen.«

»Henry«, sagte Mrs Brown und sah ihren Mann an. »Ich dachte, du hättest überall nachgesehen!«

»Nun ja, wir waren doch gerade aus dem Esszimmer gekommen«, sagte Mr Brown und machte ein verlegenes Gesicht. »Ich dachte wirklich nicht, dass er dort sein könnte. Wir haben dich im Kamin gesucht, Paddington.«

Der kleine Bär hörte interessiert zu.

»Es wäre mir doch niemals eingefallen, durch den Kamin herunterzukommen«, sagte er und starrte auf den Feuerplatz.

»Dann lass es dir auch jetzt nicht mehr einfallen!«, erklärte Mr Brown streng.

Alle folgten Paddington in das Esszimmer.

Am Weihnachtsbaum hingen sechs bunte Päckchen. Sie waren sorgsam eingeschlagen und baumelten von den unteren Ästen.

Der kleine Bär breitete die Pfoten aus und zeigte auf den Baum. »Es tut mir leid, dass ich das alte Papier verwenden musste«, sagte er. »Aber ich hatte kein Geld mehr übrig. Deshalb durfte auch niemand im Zimmer bleiben. Ich musste erst alles einpacken.«

»Wirklich, Paddington?«, sagte Mrs Brown. »Ich sollte fast böse auf dich sein! So viel Geld auszugeben!«

»Es sind nur ganz winzige Sachen«, sagte der kleine Bär. Er setzte sich in den Sessel und schaute den anderen zu. »Aber ich hoffe, sie machen euch Freude. Auf jedem Päckchen steht ein Name, damit man weiß, was wem gehört.«

»Bescheiden!«, rief Mr Brown aus, als er sein Päckchen öffnete. »Ich nenne einen Pfeifenständer kein bescheidenes Geschenk! Und da ist ja auch noch ein Paket von meinem allerbesten Tabak!«

»Hey! Ein neues Markenalbum!«, rief Jonathan. »Und es sind sogar schon Marken drin!«

»Es sind peruanische Marken von Tante Lucy«, er-

klärte der kleine Bär. »Ich habe sie für dich aufgehoben.«

»Und bei mir ist ein Malkasten drin!«, jubelte Judy. »Vielen Dank, Paddington! Ich habe ihn mir schon lange gewünscht.«

»Wir scheinen ja heute alle viel Glück zu haben«, sagte Mrs Brown und wickelte ihr Päckchen auf. Eine Flasche Lavendelwasser lag darin. »Wie bist du darauf gekommen? Vor einer Woche wurde meine letzte Flasche gerade leer.«

»Es tut mir leid wegen Ihres Päckchens, Mrs Bird«, sagte der kleine Bär und schaute zu ihr hinüber. »Es war schwierig mit all den Knoten.«

»Das muss etwas ganz Besonderes sein«, sagte Mr Brown. »Es sieht mehr nach Schnüren aus als nach einem Paket.«

»Das ist deshalb«, erklärte der kleine Bär, »weil es eigentlich eine Wäscheleine ist und keine Schnur. Ich habe die Wäscheleine gerettet, als ich in der Drehtür im Kaufhaus stecken blieb.«

»Das macht zwei Geschenke auf einmal«, sagte Mrs Bird. Sie knüpfte den letzten Knoten auf und begann, Bogen um Bogen vom Geschenkpapier aufzuschlagen. »Wie aufregend! Ich kann mir nicht vorstellen, was da drin sein kann.«

»Nein, so was!«, rief sie aus. »Ich glaube gar, es ist eine Brosche. Und sie schaut aus wie ein kleiner Bär! Die ist hübsch!« Mrs Bird sah sehr gerührt aus, als sie das Geschenk allen zeigte. »Ich werde sie gut aufheben«, fügte sie hinzu. »Und ich werde sie nur am Sonntag tragen – wenn ich Eindruck auf andere Leute machen will.«

»Ich habe keine Ahnung, was ich bekommen habe«, sagte Mr Gruber, als sich nun alle an ihn wandten. Er hielt das Päckchen prüfend in der Hand. »Es hat so eine komische Form.«

»Eine Kakaotasse«, rief er fröhlich, nachdem er das Geschenk ausgepackt hatte. »Und sogar mein Name steht darauf.«

»Für den Vormittagskakao«, erklärte Paddington. »Ihre alte Tasse sieht ziemlich hässlich aus.«

»Ich bin sicher, dass mir mein Kakao nun viel besser schmecken wird«, sagte Mr Gruber.

Er stand auf und räusperte sich. »Bestimmt hat niemand etwas dagegen, wenn ich mich im Namen aller bei Paddington bedanke. Ganz gewiss hat er lange darüber nachgedacht, mit was er uns Freude bereiten könnte.«

»Stimmt, stimmt!«, bekräftigte Mr Brown und stopfte seine Pfeife mit dem neuen Tabak.

Mr Gruber zog etwas unter seinem Sessel hervor. »Da fällt mir ein, Paddington, dass ich auch für dich ein kleines Geschenk habe.«

Während sich der kleine Bär bemühte, das Päckchen so schnell wie möglich zu öffnen, standen die anderen um ihn herum und wollten sehen, was Mr Gruber gebracht hatte. Paddington schlug das Papier zurück. In dem Päckchen lag ein wunderhübsches, in Leder gebundenes Tagebuch. Auf dem Deckel stand »Paddington Brown«.

Der kleine Bär war sprachlos.

»Ich weiß doch, Paddington, es macht dir Spaß, deine Abenteuer aufzuschreiben«, sagte Mr Gruber. »Und du erlebst so viele! Dein Notizheft ist bestimmt schon ganz vollgeschrieben.«

»Beinahe«, sagte der kleine Bär, »und ich bin sicher, dass ich noch viele Abenteuer erleben werde.«

Als Paddington im Bett war, nahm er sein Tagebuch und schrieb auf die erste Seite:

PADDINGTON BROWN
WINDSOR PARK 32
LONDON
EUROPA / WELT

Auf die nächste Seite kam in Großbuchstaben: MEINE ABENTEUER, 1. KAPITEL

Der kleine Bär kaute nachdenklich an seiner Füllfeder. Dann legte er sie sorgfältig mit der Spitze auf das Tintenfass, damit sie nicht auf das Betttuch rollen konnte. Er war viel zu schläfrig, um weiterzuschreiben, aber das machte ja nichts. Morgen war auch ein Tag.

Der kleine Bär legte sich zurück. Er zog die Decke bis zu seinen Barthaaren herauf. Unter der Decke war es warm und gemütlich. Er schloss die Augen und seufzte glücklich. Es war schön, ein Bär zu sein.

© Archiv Beltz & Gelberg

Michael Bond

Michael Bond, geboren 1926 im englischen Newbery, war Mitarbeiter bei der BBC und später Kameramann beim Fernsehen. Er schrieb Kurzgeschichten, Hörspiele und Drehbücher. 1958 veröffentlichte er sein erstes Paddington-Buch. Dreizehn Bände sind insgesamt erschienen; sie machten ihn zu einem der erfolgreichsten Kinderbuchautoren der Welt. Michael Bond lebt heute als freier Autor in London.

Richard & Florence Atwater

Mr. Poppers Pinguine

Aus dem Amerikanischen von Wolfram Sadowski
Mit Bildern von Robert Lawson
Roman, 160 Seiten (ab 6), Gulliver TB 74247

Ein Pinguin! Mr. Popper ist begeistert, als er das antarktische Geschenk auspackt. Doch der neugierige Vogel wirbelt den Alltag der Poppers gehörig durcheinander. Als dann auch noch ein Pinguinweibchen in den Kühlschrank einzieht und kurz darauf eine Pinguin-Großfamilie durch das Haus der Poppers tobt, werden die Büchsenkrabben knapp. Da hat Mr. Popper eine Idee und schlittert mitsamt seiner Pinguine hinein in das Abenteuer seines Lebens …

Christine Nöstlinger

Der Hund kommt!

Mit farbigen Bildern von Jutta Bauer
Roman, 208 Seiten (ab 8), Gulliver TB 78192
Österreichischer Staatspreis

Der Hund ist schon alt. Deshalb hat er auch viel Lebenserfahrung. Und er meint es gut mit anderen. Vor allem hat er ein Herz für Kinder und Unterdrückte. So macht sich der Hund auf den Weg in die weite Welt, um zu helfen. Doch das ist nicht immer leicht. Aber in brenzligen Situationen ist Freund Bär zur Stelle.

www.gulliver-welten.de
Beltz & Gelberg, Postfach 10 01 54, 69441 Weinheim

Ingo Siegner

Eliot und Isabella und die Abenteuer am Fluss

Mit farbigen Bildern von Ingo Siegner
128 Seiten (ab 5), Gulliver TB 74121

Eliot, der kleine Rattenjunge, wird von einer Hochwasserwelle weit hinaus aufs Land gespült. Zum Glück trifft er das Rattenmädchen Isabella! Auf ihrem langen Weg zurück in die Stadt erleben die beiden ein Abenteuer nach dem anderen.
Ein großes Vorlesevergnügen mit vielen farbigen Bildern!

Ingo Siegner

Eliot und Isabella und die Jagd nach dem Funkelstein

Mit farbigen Bildern von Ingo Siegner
Großformat, 128 Seiten (ab 5), Gulliver 74192

Der Rattenjunge Eliot und seine mutige Freundin Isabella stolpern mal wieder von einem Rattenabenteuer ins nächste, um nicht in die Fänge von Bocky Bockwurst zu geraten. Mit von der Partie ist diesmal auch die Kanalratte Müffelmanni, die für jeden Quatsch zu haben ist ...

www.gulliver-welten.de
Beltz & Gelberg, Postfach 10 01 54, 69441 Weinheim

Fredrik Vahle
Fischbrötchen
Aus dem Leben einer naseweisen Schildkröte
Mit farbigen Bildern von Verena Ballhaus
Großformat, 128 Seiten (ab 5), Gulliver TB 74078

24 Vorlesegeschichten vom bekannten Liedermacher Fredrik Vahle. Sie erzählen von den Entdeckungsreisen der kleinen Schildkröte Fischbrötchen, die auf ihrer Reise durch die Welt jede Menge aufregende Abenteuer erlebt.

Fredrik Vahle
Mäuse wie wir
Laute und leise Geschichten von Luzi und Kabutzke
Mit farbigen Bildern von Verena Ballhaus
Pappband, 144 Seiten (ab 5), ISBN 978-3-407-79858-X

Kabutzke tüftelt gerne, außerdem ist er ein wahrer Lebenskünstler und neugierig auf jedes Abenteuer. Luzi dagegen guckt lieber hinter die Dinge und ist zudem eine empfindsame Natur. Zusammen erkunden die beiden ihre Welt und stellen kluge Fragen.
Geschichten, Verse und Bilder zum Lachen, Staunen und Nachdenken.

www.gulliver-welten.de
Beltz & Gelberg, Postfach 10 01 54, 69441 Weinheim

Terence Blacker

Zauberhafte Miss Wiss

Der erste Band der komischen Miss Wiss-Abenteuer

Mit Bildern von Tony Ross
Aus dem Englischen von Anu Stohner
80 Seiten (ab 8), Gulliver TB 78979

Natürlich ist eine hexende Lehrerin erst ein bisschen unheimlich. Aber bald merkt die dritte Klasse, wofür Miss Wiss alles gut ist. Sie hilft zum Beispiel gegen garstige Schulräte. Oder gegen schrecklich strenge Eltern. Dass es ein paar eifersüchtige Lehrerkollegen gibt, die Miss Wiss wieder loswerden möchten, ist schlimm. Aber vielleicht weiß sie ja auch dagegen ein Mittel.

Waldrun Behncke

Gottfried, das fliegende Schwein

Mit farbigen Bildern von Jutta Bauer
Erzählung, 120 Seiten (ab 6), Gulliver TB 78058
Ausgezeichnet mit dem Troisdorfer Bilderbuchpreis

Schwein Gottfried reist ganz allein an die Nordsee. Dort lernt er die nettesten Menschen der Welt kennen: Mimi und Willi Lütt. Und auch Cornelia, die bald seine beste Freundin wird. Dass dann Gottfrieds sehnlichster Wunsch in Erfüllung geht, hätte wohl niemand gedacht: Er lernt doch tatsächlich fliegen!

www.gulliver-welten.de
Beltz & Gelberg, Postfach 10 01 54, 69441 Weinheim

Hans Jürgen Press

Der kleine Herr Jakob

Bildergeschichten, 128 Seiten (ab 6), Gulliver TB 78658

Man muss ihn einfach lieb haben, den kleinen Herrn Jakob! Der witzige und gewitzte Bursche ist unverkennbar mit seinem Strubbelbart, Melonenhut und dem Ringelhemd. Der kleine Herr Jakob begeistert Groß und Klein – seit vielen Jahren. Seine komischen Erlebnisse regen zum Lachen, Nachdenken und Nacherzählen an. 60 wunderbare Bildergeschichten!

Mirjam Pressler

Nickel Vogelpfeifer

Mit Bildern von Detlef Kersten
Erzählung, 152 Seiten (ab 8), Gulliver TB 78188
Auswahlliste zum Deutschen Jugendliteraturpreis

Wenn Nickel Angst hat, grunzt er wie ein Schwein. Das finden die anderen in der Klasse lustig und lachen über ihn. Die Lehrerin lacht nicht. Nickel hat nur Unfug im Kopf, meint sie. Doch Nickel ist ernsthaft mit dem Fahrrad beschäftigt, das er zum Geburtstag bekommen soll. Aber alles geht plötzlich schief. Gut, dass Nickel seinen großen Bruder hat! Auf Django ist nämlich Verlass.

www.gulliver-welten.de
Beltz & Gelberg, Postfach 10 01 54, 69441 Weinheim

Andreas Venzke

Carlos kann doch Tore schießen

Mit Bildern von Catherine Louis
72 Seiten (ab 8), Gulliver TB 78988

Carlos spielt Fußball und er spielt gut. Er will ein großer Fußballer werden, wie Pelé. Heimlich träumt er davon, dass ihn eines Tages ein berühmter Verein in São Paulo übernimmt. Doch in letzter Zeit will es nicht mehr klappen mit dem Toreschießen. Was ist los mit Carlos? Alle sind ratlos: der Trainer, die Eltern, die Freunde. Nur Opa Ruben weiß Rat …

Mirjam Pressler erzählt Geschichten

Mit Bildern von Antje Damm
192 Seiten (ab 6), Gulliver TB 74193

Mirjam Pressler ist eine großartige Geschichtenerzählerin! Ihre Geschichten sind lustig oder traurig, überraschend, wahr und manchmal auch einfach erfunden. Sie erzählt von Pepi, dem Ferien-Findelhund, der nicht mehr von der Seite der Familie weicht. Von Rosalius, dem kleinen Gespenst, das sich vor der Gespensterprüfung fürchtet. Von Jessi, deren Bruder im Krankenhaus liegt. Und von den sieben wilden Hexen, die mal so richtig auf den Putz hauen wollen.